최신 개정판

· 중학교 졸업자격 검

검정고시의 정석

영어

편집부 저

도서출판 국자감

www.kukjagam.co.kr

목차

CONTENTS

목차

CONTENTS

ENGLISH

PART 1

알파벳 연습

Ⅰ. 알파벳

· 영어에서 가장 먼저 배우는 것은 알파벳입니다.
· 알파벳은 대문자와 소문자가 있습니다.
· 대문자와 소문자는 각각 26개씩 있습니다.
· 알파벳을 쓸 때는 순서와 모양에 유의하여 써야 합니다.

1 대문자 쓰기

A	B	C	D
[에이]	[비]	[씨]	[디]
E	F	G	H
[이]	[에프]	[쥐]	[에이취]
I	J	K	L
[아이]	[제이]	[케이]	[엘]
M	N	O	P
[엠]	[엔]	[오우]	[피]

Q	R	S	T
[큐]	[알]	[에스]	[티]
U	V	W	X
[유]	[브이]	[더블유]	[엑스]
Y	Z		
[와이]	[지]		

▨ 대문자를 연습해 보세요.

2 소문자 쓰기

a [에이]	b [비]	c [씨]	d [디]
e [이]	f [에프]	g [쥐]	h [에이취]
i [아이]	j [제이]	k [케이]	l [엘]
m [엠]	n [엔]	o [오우]	p [피]
q [큐]	r [알]	s [에스]	t [티]

u	v	w	x
[유]	[브이]	[더블유]	[엑스]
y	z		
[와이]	[지]		

소문자를 연습해 보세요.

E N G L I S H

PART 2

문법정리

Lesson 01

명사

어휘 정리

lesson 1의 단어를 미리 보아요!

□ apple	사과	□ party	파티, 모임
□ book	책	□ man	남자
□ door	문	□ woman	여자
□ salt	소금	□ child	어린이
□ water	물	□ person	사람
□ air	공기	□ foot	발
□ happiness	행복	□ tooth	이, 이빨
□ egg	달걀	□ sheep	양
□ chair	의자	□ fish	물고기
□ pencil	연필	□ deer	사슴
□ desk	책상	□ doctor	의사
□ house	집	□ friend	친구
□ dish	접시	□ table	탁자
□ knife	칼	□ cook	요리사
□ leaf	나뭇잎	□ album	사진첩
□ city	도시	□ red	빨간

1 명사

사람이나 사물의 이름을 나타내는 단어를 묶어서 명사라 부른다.

명사
- 셀 수 있는 명사
  - 단수
  - 복수
- 셀 수 없는 명사

(1) 셀 수 있는 명사와 셀 수 없는 명사

명사는 크게 '셀 수 있는 명사'와 '셀 수 없는 명사'로 구분한다.

셀 수 있는 명사 : 한 개, 두 개씩 우리가 개수를 셀 수 있는 모든 명사

[예] apple(사과), book(책), car(자동차), door(문) 등

셀 수 없는 명사 : 너무 입자가 작거나, 액체, 기체처럼 흐르거나, 감정 같이 개수를 셀 수 없는 모든 명사

[예] money(돈), salt(소금), water(물), air(공기), happiness(행복) 등

※ 사람, 지역, 기업의 이름은 세상에 단 1개만 존재하기에, 셀 수 없는 명사로 본다. (2개 이상으로 셀 수가 없다.)

[예] Mike, Eric, Michael, Seoul, Korea, Hanyang Academy

(2) 단수와 복수

단수 : 셀 수 있는 명사가 1개

복수 : 셀 수 있는 명사가 2개 이상(여러 개)

1) **단수** : 명사 앞에 a 또는 an을 쓴다.

- '하나', '한 개' 라는 의미이지만 보통 해석은 잘 하지 않는다.
- 첫 소리가 자음 소리가 나면 a, 모음소리가 나면 an을 쓴다.

※ 모음 = a, e, i, o, u

[예] an apple, an egg, a book, a chair

2) **복수** : 셀 수 있는 명사가 2개 이상인 경우, 복수형을 사용한다.

- 규칙형 : 단어의 뒤에 (-s) 또는 (-es)를 붙여 '~들' 이라는 뜻을 붙인다.

3) 복수형 만드는 규칙

① 대부분의 경우 단어의 뒤에 (−s)를 붙인다.

예 pencil → pencils / desk → desks / house → houses

② −s, −x, −ch, −sh, −o로 끝나는 단어는 뒤에 (−es)를 붙인다.

예 bus → buses / box → boxes / bench → benches / dish → dishes
tomato → tomatoes

③ −f나 −fe로 끝나는 단어는 f나 fe를 v로 바꾸고 (−es)를 붙인다.

예 knife → knives / leaf → leaves

④ [자음 + y]로 끝나는 단어는 y를 i로 고치고 [−es]를 붙인다.

예 city → cities / party → parties

※ [모음 + y]로 끝나는 단어는 (−s)를 붙인다.

예 boy → boys / toy → toys

⑤ 불규칙 변화

man → men	woman → women
child → children	person → people / persons
foot → feet	tooth → teeth

Review Test

01

다음 단어들이 단수인 경우는 '단수', 복수인 경우는 '복수', 셀 수 없을 경우는 '셀 수 없음' 이라고 쓰시오.

(1) an apple (　　　　)　　(2) a book (　　　　)

(3) a baby (　　　　)　　(4) children (　　　　)

(5) leaves (　　　　)　　(6) pens (　　　　)

(7) water (　　　　)　　(8) air (　　　　)

02

다음 문장에서 괄호 안의 단어 중 가장 적절한 것을 고르시오.

(1) I am (student / a student / students). (나는 학생이다.)

(2) They are (student / a student / students). (그들은 학생들이다.)

(3) This is (table / a table / tables). (이것은 책상이다.)

(4) These are (table / a table / tables). (이것들은 책상들이다.)

03

다음 문장에서 어법상 틀린 부분을 찾아 바르게 고쳐 쓰시오.

(1) He is a doctors. (그는 의사이다.)

(2) This is my books. (이것은 나의 책이다.)

(3) They are my friend. (그들은 나의 친구들이다.)

(4) I have a three tomatoes. (나는 3개의 토마토를 가지고 있다.)

[4~6] 다음 빈칸에 쓸 수 없는 것은?

04

I have a ___________.

① book ② car

③ water ④ table

05

___________ are cooks.

① They ② You

③ I ④ These

06

I have ___________ albums.

① an ② two

③ many ④ red

정답 | 148쪽

Lesson 02

대명사

어휘 정리

lesson 2의 단어를 미리 보아요!

☐ student	학생	☐ sister	여자형제
☐ doctor	의사	☐ kind	친절한
☐ teacher	선생님	☐ brother	남자형제
☐ book	책	☐ Sunday	일요일
☐ bag	가방	☐ cloudy	흐린
☐ flower	꽃	☐ mirror	거울
☐ tree	나무	☐ candle	양초
☐ leg	다리	☐ money	돈
☐ table	탁자	☐ shirt	셔츠
☐ watch	손목시계	☐ beautiful	아름다운
☐ mother	어머니	☐ love	사랑하다
☐ homework	숙제	☐ know	알다
☐ tiger	호랑이	☐ clock	시계
☐ uncle	삼촌	☐ toy	장난감
☐ aunt	고모, 이모, 숙모	☐ singer	가수
☐ dog	개	☐ farmer	농부

1 대명사

명사를 대신해서 쓰는 단어들을 묶어서 대명사라 부른다.

- 대명사
  - 인칭대명사
    - 주격
    - 소유격
    - 목적격
    - 소유대명사
  - 지시대명사
  - 재귀대명사
  - 부정대명사

(1) 인칭대명사

사람, 사물, 동물 등의 이름을 대신해서 쓰는 말

인칭	격 / 수	주격 (~은/는/이/가)	소유격 (~의)	목적격 (~을/를)	소유대명사 (~의 것)
1인칭	단수	I	my	me	mine
	복수	we	our	us	ours
2인칭	단수	you	your	you	yours
	복수				
3인칭	단수	he	his	him	his
		she	her	her	hers
		it	its	it	–
	복수	they	their	them	theirs

> ※ 인칭
> 1인칭의 단수는 I(나) / 복수는 we(우리)
> 2인칭의 단수는 you(너) / 복수는 you(너희들)
> 3인칭은 1인칭, 2인칭을 제외한 제3자와 사물

1) **주격** : 문장의 중심이 되는 '주어' 로서의 자격을 의미한다. '~은/는/이/가' 를 붙여 해석하며, 뒤에 '~이다, 있다' 라는 의미의 be동사를 사용하기도 한다.

① I am ~. (= I'm 나는 ~이다.)
I / am / Minji. (= I'm Minji.) (나는 / ~이다 / 민지 = 나는 민지이다.)
I / am / a student. (= I'm a student.) (나는 / ~이다 / 학생 = 나는 학생이다.)

② You are ~. (= You're 너는 / 너희들은 ~이다.)
You / are / Jane. (너는 / 이다 / 제인 = 너는 제인이다.)
You / are / a student. (너는 / 이다 / 학생 = 너는 학생이다.)
You / are / students. (너희들은 / 이다 / 학생들 = 너희들은 학생들이다.)

③ He is ~. (= He's 그는 ~이다.)
He / is / James. (그는 / 이다 / 제임스 = 그는 제임스이다.)
He / is / a doctor. (그는 / 이다 / 의사 = 그는 의사이다.)

④ She is ~. (= She's 그녀는 ~이다.)
She / is / Sarah. (그녀는 / 이다 / 사라 = 그녀는 사라이다.)
She / is / a teacher. (그녀는 / 이다 / 선생님 / = 그녀는 선생님이다.)

⑤ We are ~. (= We're 우리는 ~이다.)
We / are / students. (우리는 / 이다 / 학생들 = 우리는 학생들이다.)

⑥ They are ~. (= They're 그들은 ~이다.)
They / are / teachers. (그들은 / 이다 / 선생님들 = 그들은 선생님들이다.)

2) 소유격 : 명사에 붙어 소유의 뜻을 나타낸다. '~의' 로 해석한다.

This is <u>my</u> car. (이것은 **<u>나의</u>** 차다.)
This is <u>your</u> car. (이것은 **<u>너의</u>** 차다.)
This is <u>his</u> car. (이것은 **<u>그의</u>** 차다.)
This is <u>her</u> car. (이것은 **<u>그녀의</u>** 차다.)

※ 소유격은 a/an, the 와 같이 쓰지 않는다.
This is my a pen. (×) → This is my pen. (○)

※ '~의' 라는 뜻의 다양한 표현들
① 정해진 단어
[예] my(나의), your(너의), his(그의), her(그녀의) 등
② 명사' s = 명사의
[예] Minho' s book(민호의 책), my mother' s bag(나의 어머니의 가방)
③ A of B = B의 A
[예] flowers of a tree(나무의 꽃들), The leg of the table(탁자의 다리)

3) **목적격** : '주어'가 하는 행동의 대상인 '목적어'로서의 자격을 의미한다. ~을/를, ~에게 등으로 해석한다.

I love **you**. (나는 **너를** 사랑한다.)

I know **her**. (나는 **그녀를** 안다.)

Jane likes **cats**. (제인은 **고양이들을** 좋아한다.)

4) **소유대명사** : 『소유격 + 명사』의 의미로 '~의 것'이라고 해석한다.

It is **mine**. (그것은 **나의 것**이다.)

A : Whose book is this? (이것은 누구의 책입니까?)

B : It's **hers**. (그것은 **그녀의 것**입니다.)

※ 참고

『명사' s』는 '~의 것'이라는 의미도 있다.

This is **Kim's** car. (이것은 **김의** 차다.)

This is **Kim's**. (이것은 **김의 것**이다.)

(2) 지시대명사

특정 사람, 사물 등을 가리킬 때 쓰는 말. 한국어의 '이것, 저것' 등에 해당한다.

	단수 (1명, 1개)	복수 (여러 명, 여러 개)
이 사람, 이것(가까운)	this	these
저 사람, 저것(먼)	that	those
그것	it	they

1) **This 이것 / 이 사람 - These 이것들 / 이 사람들**

This는 가까이에 있는 사람이나 사물을 가리킬 때 쓰인다.

* this is 는 this' s로 줄여 쓸 수 없다.

This is a watch. (**이것은** 손목시계이다.)

This is my mother' s friend. (**이 사람은** 나의 어머니의 친구이다.)

These are my books. (**이것들은** 나의 책들이다.)

2) **That 저것 / 저 사람 - Those 저것들 / 저 사람들**

That은 멀리 있는 사람이나 사물을 가리킬 때 쓰인다.

* that is 는 that's로 줄여 쓸 수 있다.

That is a tiger. (= That's a tiger. 저것은 호랑이다.)

That is my uncle, Sam. (That's my uncle, Sam. 저 사람은 나의 삼촌 샘이다.)

Those are his aunts. (저 사람들은 그의 숙모들이다.)

3) It 그것 – They 그것들 / 그 사람들

앞에서 이미 언급된 단어를 대신하는 표현

This is my dog. It is white. (이것은 나의 개다. 그것은 하얀색이다.)

Those are my sisters. They are kind.

(저 사람들은 나의 여동생들이다. 그들은 친절하다.)

※ 비인칭 주어 it

It은 '그것' 이라는 의미로 쓰이기도 하지만 시간, 날씨, 날짜, 계절, 요일, 명암, 거리 등을 나타낼 때 사용하는 비인칭 주어로도 사용한다. 비인칭 주어로 사용할 땐 '그것' 이라고 해석을 하지 않는다.

It's Sunday. (그것은 일요일이다.) → (**일요일이다.**)

It's 7 o'clock. (그것은 7시 정각이다.) → (**7시 정각이다.**)

It's cloudy. (그것은 흐리다.) → (**날씨가 흐리다.**)

(3) 재귀대명사

자신이 '직접, 스스로' 라는 의미를 강조하거나 행동의 방향이 주어와 동일할 때 사용한다.

1) 형태 : –self / –selves

2) 재귀 용법 타동사나 전치사의 목적어로 쓰인다. '~ 자신을'

I looked at me in a mirror. (×) (나는 거울로 나를 보았다.)

I looked at myself in a mirror. (○) (나는 거울로 나 자신을 보았다.)

He killed him. (그는 그를 죽였다.) (앞의 'He(그)' 와 뒤의 'him(그)' 은 다른 사람)

He killed himself. (그는 스스로 목숨을 끊었다.)

(앞의 'He(그)' 와 뒤의 'himself(그 자신)' 는 같은 사람)

3) 강조 용법

'직접, 스스로' 라는 의미를 강조할 때 사용한다.

My brother do his homework <u>himself</u>. (나의 형은 그의 숙제를 <u>스스로</u> 한다.)

(4) 관용적인 표현

① for oneself 스스로

I do it <u>for myself</u>. (나는 그 일을 <u>스스로</u> 한다.)

② by oneself 홀로

He lives in that house <u>by himself</u>. (그는 그 집에서 <u>홀로</u> 산다.)

③ of itself 저절로

The candle went out <u>of itself</u>. (그 양초가 <u>저절로</u> 꺼졌다.)

* oneself는 임의의 재귀 대명사를 이야기 한다.

(5) 부정대명사

① **some** : (있는) 약간의, (특정한) 몇몇의 / **any** : (거의 없는) 약간의, (아무거나) 몇몇의

Do you have <u>some</u> money? (너 돈 <u>좀</u> 있니?)

<u>Any</u> time is fine. (<u>아무</u> 때나 괜찮아요.)

② **one** : 일반적인 사람 또는 앞서 말한 명사의 반복을 피하기 위하여 사용한다.

ⓐ 일반적인 사람일 때

<u>One</u> should do one' s best. (<u>사람</u>은 최선을 다해야 한다.)

ⓑ 명사의 반복을 피할 때

I don't like that blue shirt. Please show me another <u>one</u>.

(저는 그 파란 셔츠를 안 좋아해요. 다른 <u>것</u>으로 보여주세요.)

③ **another** : 또 하나, 또 다른 하나

I should drink <u>another</u> cup of coffee. (나는 커피 한 잔 <u>더</u> 해야 될 것 같아.)

④ **other** : 다른 사람, 다른 것

He bothered <u>other</u> people. (그는 <u>다른</u> 사람들을 귀찮게 했다.)

부정대명사의 여러 가지 표현

① 둘 중 하나를 가리킬 때, 하나는 **one**, 나머지 하나는 **the other**

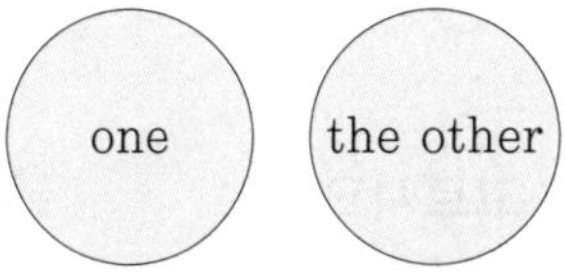

I have two brothers. **One** is a teacher and **the other** is a singer.

(나는 두 명의 형제가 있다. **한 명**은 교사이며, **다른 한 명**은 가수이다.)

② 셋 중 하나를 가리킬 때, 하나는 **one**, 다른 하나는 **another**, 나머지 하나는 **the other**

I have three balls. **One** is red, **another** is yellow, and **the other** is green.

(나는 세 개의 공이 있다. **하나**는 빨갛고, **또 다른 하나**는 노랑, **나머지 하나**는 녹색이다.)

③ 여러 가지 중 일부는 **some**, 일부의 모든 나머지는 **the others**

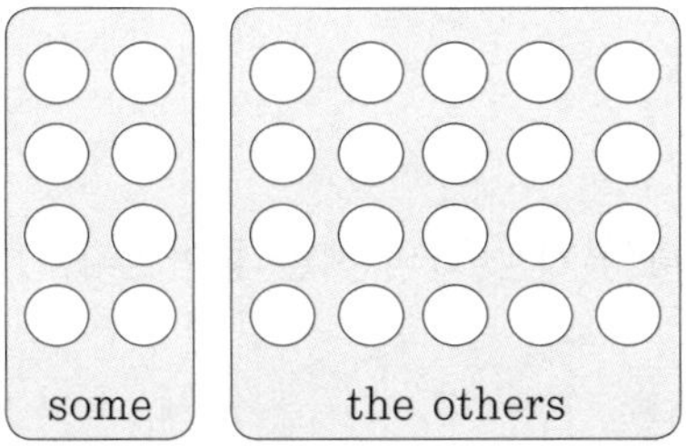

Some students live in seoul, and **the others** live in Busan.

(학생들 중 **일부**는 서울에 살고, **나머지 모두**는 부산에 산다.)

④ 여러 가지 중 일부는 **some**, 나머지의 일부들은 **others**

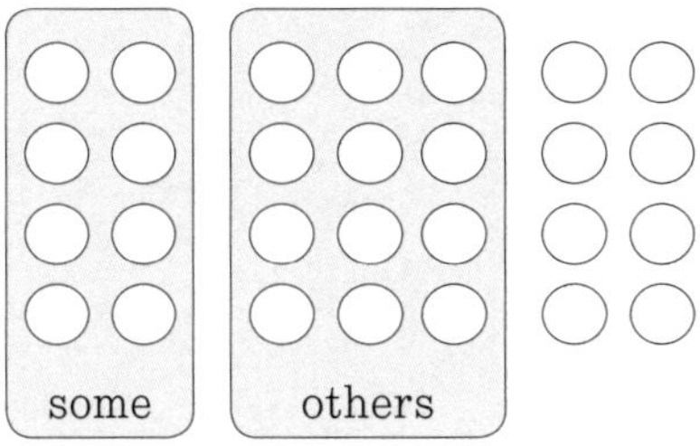

We ordered many dishes. **Some** were good, but **others** were terrible.

(우리는 많은 음식을 주문했다. **일부**는 괜찮았고, **다른 일부**는 별로였다.)

Review Test

01 다음 문장의 괄호 안에서 가장 알맞은 말을 고르시오.

(1) (She, Her) is my wife.

(2) (I, Me) am a student.

(3) This is (his, him) book.

(4) That is (you, your) sister.

(5) (We, Our) house is beautiful.

02 괄호 안의 단어들을 알맞게 배열하여 문장을 완성하시오.

(1) (love, you, I) 나는 너를 사랑한다.

→

(2) (her dog, likes, his book) 그녀의 개는 그의 책을 좋아한다.

→

(3) (Kate, them, knows) 케이트는 그들을 안다.

→

(4) (a clock, this, is) 이것은 시계이다.

→

[3-4] 다음 빈칸에 올 수 없는 것은?

03

Jack is ________ friend.

① my ② your

③ him ④ her

04

I don't love ____________.

① you ② her
③ their ④ him

05 다음 괄호 안의 단어를 적절한 형태로 바꿔 빈칸에 쓰시오.

(1) That is John. This is ________ racket. (he)

(2) That is ________ school. (she)

(3) These toy cars are ________. (I)

(4) Her name is Jenny. I want to meet ________. (she)

(5) Those knives are ________ knives. (we)

(6) ________ are my friend. (you)

06 다음 밑줄 친 부분 대신 쓸 수 있는 말을 고르시오.

A : Is this your bag or her bag?
B : It's <u>her bag</u>.

① mine ② yours
③ his ④ hers

[7-9] 다음 대화의 빈칸에 들어갈 말로 가장 적절한 것을 고르시오.

07

A : Is that your cup?
B : Yes, it's ____________.

① a cup ② my cup
③ your cup ④ not a cup

08

A : Are you a singer?

B : No, _________ am a farmer.

① I ② you ③ he ④ she

09

A : Do you have brothers?

B : Yes, One is a doctor and _________ is a teacher.

① the other ② the others

③ another ④ others

정답 | 148쪽

Lesson

03 be동사

어휘 정리

lesson 3의 단어를 미리 보아요!

□ student	학생
□ friend	친구
□ doctor	의사
□ teacher	선생님
□ pet	애완동물
□ cute	귀여운
□ farmer	농부
□ singer	가수
□ under	~ 아래에
□ tree	나무
□ American	미국의, 미국인
□ room	방
□ lake	호수
□ box	상자
□ eleven	11, 열하나
□ soccer	축구
□ heart	마음
□ school	학교
□ Excuse me.	실례합니다.

1 be동사

"~(이)다, 있다, 되다" 라는 의미를 가지고 있으며, 주어에 따라 모양은 바뀌지만 뜻은 동일하다는 특징이 있다.

be동사 원형 : be		
	am	주어가 I 일 때 예 I am
	are	주어가 you, 복수일 때 (2인칭 또는 복수) 예 You are
	is	주어가 I, You를 제외한 단수 (3인칭 단수) 예 He is

(1) be동사 문장 만들기

주어 + be동사 + ~. : 주어는 ~(이)다.

I / am / a student. (나는 / **이다** / 학생 = 나는 학생**이다**.)
You / are / tall. (너는 / **이다** / 키가 큰 = 너는 키가 크**다**.)
We / are / friends. (우리는 / **이다** / 친구들 = 우리는 친구들**이다**.)
She / is / a doctor. (그녀는 / **이다** / 의사 = 그녀는 의사**이다**.)
He / is / Tom. (그는 / **이다** / 탐 = 그는 탐**이다**.)
That / is / my book. (저것은 / **이다** / 나의 책 = 저것은 나의 책**이다**.)

(2) be동사 부정문 만들기

주어 + be동사 + not + ~. : 주어는 ~(이) 아니다.

I / am not / Jane. (나는 / **아니다** / 제인 = 나는 제인이 **아니다**.)
You / are not / a teacher. (너는 / **아니다** / 선생님 = 너는 선생님이 **아니다**.)
It / is not / my pet.
(이것은 / **아니다** / 나의 애완동물 = 이것은 나의 애완동물이 **아니다**.)
This / isn' t(= is not) / my book.
(이것은 / **아니다** / 나의 책 = 이것은 나의 책이 **아니다**.)
These / aren' t(= are not) / cute.
(이것들은 / **아니다** / 귀여운 = 이것들은 귀엽지 **않다**.)

(3) be동사 의문문 만들기

Be동사 + 주어 + ~? : 주어 ~ 입니까? **긍정의 대답 : Yes, 주어 + be동사.** **부정의 대답 : No, 주어 + be동사 + not.**

* 누구에게 묻고, 누가 대답하는지 잘 생각해 보세요.

You **are** a farmer. (당신은 농부**입니다**.)
→ **Are** you a farmer? (당신은 농부**입니까**?)
긍정 : Yes, I am. (네, 저는 (농부가) 맞습니다.)
부정 : No, I' m not. (아니요, 저는 (농부가) 아닙니다.)

He **is** a singer. (그는 가수**입니다**.)
→ **Is** he a singer? (그는 가수**입니까**?)
긍정 : Yes, he is. (네, 그는 (가수가) 맞습니다.)
부정 : No, he isn' t. (아니요, 그는 (가수가) 아닙니다.)

She **is** tall. (그녀는 키가 **크다**.)
→ **Is** she tall? (그녀는 키가 **크니**?)
긍정 : Yes, she is. (네, 그녀는 그렇습니다.)
부정 : No, she isn' t. (아니요, 그녀는 아닙니다.)

This **is** your car. (이것은 당신의 차**입니다**.)
→ **Is** this your car? (이것은 당신의 차**입니까**?)
긍정 : Yes, it is. (네, 그것은 그렇습니다.)
부정 : No, it isn' t. (아니요, 그것은 아닙니다.)

* Is this ~? 또는 Is that ~? 으로 물어본다면?
→ 물건에 대해 묻는다면 **it**, 사람이면 **he** 또는 **she**를 넣어서 대답한다.
Is **this** your friend? (**이 사람**은 너의 친구니?)
→ Yes, **he** is. / No, **she** isn' t.
(응, **그**는 내 친구야. / 아니, **그녀**는 내 친구가 아니야.)

(4) There + be동사 : ~(들)이 있다

1) There is + (a/an) + **단수명사** : ~이 있다

<u>There is</u> a dog under the tree. (나무 아래에 개가 <u>**있다**</u>.)

<u>There is</u> an American student in the room. (방안에 미국인 학생이 한 명 <u>**있다**</u>.)

※ 셀 수 없는 명사에 대해서도 there is를 사용한다.

<u>There is</u> water in the lake. (호수에 물이 있다.)

2) There are + **복수명사** : ~들이 있다

<u>There are</u> cats on the table. (탁자 위에 고양이<u>**들이 있다**</u>.)

<u>There are</u> books next to the box. (상자 옆에 책<u>**들이 있다**</u>.)

3) **의문문** : Be동사 + there ~ ? : ~이 있나요?

<u>There is</u> a cup on the desk. (책상 위에 컵<u>**이 있다**</u>.)

→ <u>Is there</u> a cup on the desk? (책상 위에 컵<u>**이 있나요**</u>?)

Yes, <u>there is</u>. (예, <u>**있습니다**</u>.)

No, <u>there isn't</u>. (아니요, <u>**없습니다**</u>.)

Review Test

01 다음 문장을 다양한 문장형태로 바꾸시오.

(1) He is my brother. (그는 나의 남자형제이다.)

→ 부정문 : ______________________________

→ 의문문 : ______________________________

(2) This is a cat. (이것은 고양이다.)

→ 부정문 : ______________________________

→ 의문문 : ______________________________

(3) You are a student. (너는 학생이다.)

→ 부정문 : ______________________________

→ 의문문 : ______________________________

[2-4] 다음 대화의 빈칸에 들어갈 알맞은 말을 고르시오.

02

A : Are you a student?
B : Yes, __________.

① I am
② you are
③ he is
④ her is

03

A : Are you a student?
B : No, ________.

① I am
② I' m not
③ you are
④ you aren' t

Review Test

04

A : Is he your teacher?
B : Yes, ________.

① you' re
② she is
③ he is
④ it is

05

다음 괄호 안에서 가장 알맞은 것을 고르시오.

(1) There (is, are) a ball in the box.

(2) There (is, are) eleven players on a soccer team.

(3) There (is, are) love in our hearts.

(4) (Is, Are) there students in school?

06

다음 대화의 빈칸에 들어갈 알맞은 말을 고르시오.

A : Excuse me. Are you Bill?
B : __________. I' m Tony

① Yes, I am
② No, I' m not
③ Yes, you are
④ No, you' re not

[7-8] 다음 빈칸에 적절하지 <u>않은</u> 단어를 고르시오.

07

________ is a teacher.

① She
② Mr. Brown
③ You
④ Jane

08

________ is beautiful.

① This
② It
③ She
④ These

정답 | 148쪽

Lesson
04 형용사, 부사

어휘 정리
lesson 4의 단어를 미리 보아요!

□ tall	키 큰	□ usually	보통
□ boy	소년	□ often	자주
□ honest	정직한	□ sometimes	가끔
□ girl	소녀	□ never	결코 ~않다
□ kind	친절한	□ support	지지하다
□ cute	귀여운	□ playground	운동장
□ big	큰	□ snow	눈
□ happy	행복한	□ winter	겨울
□ like	좋아하다	□ small	작은
□ rain	비	□ high	높은
□ year	해, 년, 연도	□ low	낮은
□ money	돈	□ angry	화난
□ then	그때	□ upset	화난
□ before	~전에	□ cheap	싼, 저렴한
□ after	~후에	□ expensive	비싼
□ always	항상	□ clever	영리한

1 형용사

사람이나 사물의 상태, 성질, 색, 크기 등을 나타내는 말이다.
일반적으로 '~한, ~의' 으로 해석한다.

(1) 형용사의 쓰임

1) 명사를 수식한다.(꾸며준다.)

형용사 + 명사 : (형용사)한 (명사)

tall boy : 키 큰 소년
honest girl : 정직한 소녀
kind student : 친절한 학생

2) 보어 : 주어를 보충 설명

주어 + be동사 + 형용사 : 주어는 (형용사)다.

Kim is cute. (김은 귀엽다.)
My bag is big. (나의 가방은 크다.)
You are happy. (너는 행복하다.)

(2) 부정수량 형용사

특정한 수나 양을 나타내지 않고 막연한 수나 양을 나타내는 말

	많은	거의 없는	약간, 조금
셀 수 있는	many	few	a few
셀 수 없는	much	little	a little
둘 다	a lot of lots of		some any

1) 많은 : many와 much

many + 셀 수 있는 명사, much + 셀 수 없는 명사

She has many books. (그녀는 많은 책들을 가지고 있다.)
Many students like tennis. (많은 학생들이 테니스를 좋아한다.)
We had much rain last year. (작년에는 많은 비가 내렸다.)

2) **적은** : (a) few 와 (a) little

(a) few + 셀 수 있는 명사, (a) little + 셀 수 없는 명사

* 'a' 가 붙는다면 '약간은 있다' 는 긍정적인 느낌으로, 'a' 가 없으면 '거의 없다' 는 부정적인 느낌으로 사용된다.

The boys have <u>a few</u> cups. (그 소년들은 **<u>약간의</u>** 컵들을 가지고 있다.)
The boys have <u>few</u> cups. (그 소년들은 컵들을 **<u>거의 가지고 있지 않다</u>**.)

The girls have <u>a little</u> money. (그 소녀들은 **<u>약간의</u>** 돈을 가지고 있다.)
The girls have <u>little</u> money. (그 소녀들은 돈이 **<u>거의 없다</u>**.)

3) **약간, 조금** : some과 any

some은 특정 대상, 긍정 상황을 말할 때, any는 불특정 대상, 부정 상황을 말할 때 쓰인다. (그런 이유로 some은 긍정문, any는 의문문과 부정문에 쓰인다.)

I have <u>some</u> money. (나에게는 **<u>약간의</u>** 돈이 있다.)
I do not have <u>any</u> money. (나는 **<u>약간의</u>** 돈도 없다.)

2 부사

장소, 시간, 정도, 빈도 등을 나타내는 말로 동사, 형용사, 다른 부사를 수식하기도 하고 문장 전체를 수식하기도 한다. '~리, ~히, ~게' 등으로 해석한다.

① 장소를 나타내는 부사 : here, there, up, down
② 시간을 나타내는 부사 : now, then, once, today, before, after
③ 정도를 나타내는 부사 : too, very, quite, pretty, much, little
④ 빈도를 나타내는 부사 : always, usually, often, sometimes, never

1) 형용사와 모양이 같은 부사

early	㉠형 이른 ㉠부 일찍	well	㉠형 건강한 ㉠부 잘	hard	㉠형 굳은, 단단한 ㉠부 열심히, 몹시
fast	㉠형 빠른 ㉠부 빨리	much	㉠형 많은 ㉠부 매우	little	㉠형 작은 ㉠부 거의 ~않다

2) too와 either : (문장 끝에 쓰일 때) 또한, 역시

문장의 맨 끝에 쓰이는 too와 either는 '또한, 역시' 라는 의미가 있고 too는 긍정문에 either은 부정문에 쓰인다.

I am a teacher, <u>too</u>. (나 **<u>또한</u>** 교사입니다.)

He is <u>not</u> tall, <u>either</u>. (그 **<u>또한</u>** 키가 크지 **<u>않다</u>**.)

Review Test

01 다음 빈칸에 어울리는 것을 〈보기〉에서 찾아 넣으시오.

〈보기〉

many, much, few, little

(1) ________ people supported him. (많은 사람들이 그를 지지해 주었다.)

(2) He has ________ friends. (그는 친구들이 거의 없다.)

(3) I want ________ coffee. (나는 많은 커피를 원한다.)

02 다음 문장의 괄호 안에서 가장 알맞은 것을 고르시오.

(1) There are (much / many) students on the playground.

(2) I have (few / little) money.

(3) We had (much / many) snow last winter.

[3-5] 두 단어의 관계가 나머지 셋과 <u>다른</u> 것을 고르시오.

03

① big – small ② long – short

③ young – old ④ good – great

04

① high – low ② happy – sad

③ angry – upset ④ cheap – expensive

05

① wet – dry ② clean – dirty

③ sick – healthy ④ smart – clever

정답 | 149쪽

Lesson

05 비교

어휘 정리

lesson 5의 단어를 미리 보아요!

□ short	짧은
□ long	긴
□ old	오래된
□ large	큰, 넓은
□ wise	현명한
□ safe	안전한
□ early	일찍, 이른
□ pretty	예쁜
□ thin	마른, 얇은
□ beautiful	아름다운
□ famous	유명한
□ delicious	맛있는
□ elephant	코끼리
□ mouse	쥐
□ animal	동물
□ zoo	동물원
□ health	건강
□ expensive	비싼
□ building	건물
□ young	어린, 젊은

1 비교

형용사, 부사가 취하는 어형 변화로 어떤 대상을 비교할 때, 성질이나 상태의 정도를 표시한다. 원급, 비교급, 최상급의 형태 변화가 있다.

(1) 원급 – 비교급 – 최상급

1) 규칙 변화

① 대부분의 경우 : 형용사나 부사의 어미에 –er / –est

원급	비교급	최상급
short 짧은 long 긴 old 오래된	shorter 더 짧은 longer 더 긴 older 더 오래된	shortest 가장 짧은 longest 가장 긴 oldest 가장 오래된

② 형용사/부사가 e로 끝나는 경우 : –r/–st

원급	비교급	최상급
large 큰 wise 현명한 safe 안전한	larger 더 큰 wiser 더 현명한 safer 더 안전한	largest 가장 큰 wisest 가장 현명한 safest 가장 안전한

③ 형용사/부사가 [자음 + y]로 끝나는 경우 : y → –ier / –iest

원급	비교급	최상급
early 일찍 happy 행복한 pretty 예쁜	earlier 더 일찍 happier 더 행복한 prettier 더 예쁜	earliest 가장 일찍 happiest 가장 행복한 prettiest 가장 예쁜

④ [단모음 + 단자음]으로 끝나는 경우 : 끝의 자음을 한번 더 쓰고 –er / –est

원급	비교급	최상급
big 큰 hot 뜨거운 thin 얇은	bigger 더 큰 hotter 더 뜨거운 thinner 더 얇은	biggest 가장 큰 hottest 가장 뜨거운 thinnest 가장 얇은

⑤ 3음절 이상의 단어 : 단어 앞에 more, most를 붙인다.

원급	비교급	최상급
beautiful 아름다운 famous 유명한 delicious 맛있는	more beautiful 더 아름다운 more famous 더 유명한 more delicious 더 맛있는	most beautiful 가장 아름다운 most famous 가장 유명한 most delicious 가장 맛있는

2) 불규칙 변화

원급	비교급	최상급
good / well 좋은 / 건강한, 잘	better 더 좋은 / 더 잘	best 가장 좋은 / 가장 잘
bad / ill 나쁜 / 아픈	worse 더 나쁜 / 더 아픈	worst 가장 나쁜 / 가장 아픈
many / much 많은, 많이	more 더 많은, 더 많이	most 가장 많은, 가장 많이
little 적은, 적게	less 더 적은, 더 적게	least 가장 적은, 가장 적게

(2) 원급을 이용한 표현

1) as 원급 as A : A만큼 ~한

She <u>**is as tall as**</u> Bill. (그녀는 Bill <u>**만큼 키가 크다**</u>.)

Sumi <u>**is as pretty as**</u> you. (수미는 너<u>**만큼 예쁘다**</u>.)

2) not as(so) 원급 as A : A만큼 ~하지 않은

Bill <u>**is not as old as**</u> Tom. (Bill은 Tom <u>**만큼 나이가 많지 않다**</u>.)

Mr. Park <u>**cannot run so fast as**</u> you. (박선생님은 너<u>**만큼 빨리 달릴 수 없다**</u>.)

(3) 비교급을 이용한 표현

1) 비교급 than A : A보다 더 ~한

An elephant <u>**is bigger than**</u> a mouse. (코끼리는 쥐<u>**보다 더 크다**</u>.)

This book <u>**is more interesting than**</u> that book. (이 책은 저 책<u>**보다 더 재미있다**</u>.)

Minho <u>**is not taller than**</u> Sumi. (민호는 수미<u>**보다 더 크지 않다**</u>.)

2) 비교급의 강조 : "훨씬"의 의미로 비교급을 강조하는 표현

much, even, still, far, a lot

※ very는 비교급을 강조할 때 사용하지 않는다.

My teacher is <u>**much**</u> taller than Mr. Choi.
(나의 선생님은 최선생님보다 <u>**훨씬**</u> 키가 크다.)

The sun is <u>**a lot**</u> bigger than the moon. (태양은 달보다 <u>**훨씬**</u> 더 크다.)

3) the + 비교급, the + 비교급 : ~하면 할수록 더 …하다

The more, the better. (많을수록, 더 좋다.)

The higher, the colder. (더 높아질수록, 더 춥다.)

(4) 최상급을 이용한 표현

1) (the) 최상급 + of(in) ~ : ~에서 가장 …한

Mt. Everest is <u>**the highest**</u> mountain in the world.
(에베레스트산은 세계에서 <u>**가장 높은**</u> 산이다.)

This is <u>**the biggest**</u> building in this city. (이것은 이 도시에서 <u>**가장 큰**</u> 건물이다.)

This is <u>**the most interesting**</u> book of the five. (이것은 5개 중 <u>**가장 흥미있는**</u> 책이다.)

2) 최상급의 다양한 표현

The tiger is the biggest animal in the zoo. (호랑이는 동물원에서 가장 큰 동물이다.)

= The tiger is bigger than any other animal in the zoo.

= No other animal in the zoo is bigger than the tiger.

= No other animal in the zoo is as big as the tiger.

Review Test

01 다음 괄호 안에서 알맞은 말을 고르시오.

(1) Seoul is the (larger, largest) city in Korea.

(2) Health is the (important, most important) thing of all.

(3) I like summer (good, better, best) of all the season.

02 다음 우리말에 맞게 괄호 속의 단어를 알맞은 형태로 고치시오.

(1) Tom은 Bill 보다 더 빠르다.

→ Tom is __________ (fast) than Bill.

(2) Ann의 머리카락은 Mary보다 더 짧다.

→ Ann' s hair is ________________ (short) than Mary' s.

(3) 이 차는 저 차보다 더 비싸다.

→ This car is ______________________ (expensive) than that car.

03 다음 표의 내용과 일치하지 않는 것은?

Name	Age
Kim	13
Tom	15
John	16
Smith	17

① Kim is younger than Tom.

② Tom is younger than Smith.

③ John is as old as Kim.

④ Smith is the oldest of all.

04 다음 표의 내용과 일치하지 않는 것은?

Name	Height(cm)
Min-ho	160
Sun-mi	165
Min-jae	170
Hye-rim	175

① Min-ho is the shortest of all.

② Sun-mi is shorter than Min-Jae.

③ Min-jae is taller than Hye-rim.

④ Hye-rim is the tallest.

* Height : 키

05 다음 빈칸에 쓸 수 없는 것은?

His car is ________ more expensive than mine.

① much ② very

③ still ④ even

정답 | 149쪽

Lesson

06 일반동사

어휘 정리

lesson 6의 단어를 미리 보아요!

□ love	사랑하다	□ like	좋아하다
□ make	만들다	□ baseball	야구
□ teach	가르치다	□ live	살다
□ speak	말하다	□ ugly	못생긴
□ English	영어	□ clean	청소하다
□ go	가다	□ swim	수영하다
□ watch	보다, 시청하다	□ umbrella	우산
□ wash	씻다, 씻기다	□ take	가지다, 타다
□ study	공부, 공부하다	□ play	놀다, 연주하다
□ have	가지고 있다		

1 일반동사

동사는 크게 be동사, 조동사, 일반동사로 나뉘며, 일반동사는 '~(하)다' 라고 해석된다.

동사	be동사	am, are, is …
	조동사	can, will, must …
	일반동사	be동사와 조동사를 제외한 모든 동사

(1) 일반동사의 형태

- 동사원형 : love, make, teach
- 3인칭 단수형 : loves, makes, teaches

※ 3인칭 단수형도 해석은 동사원형과 동일하다.

주어가 3인칭 단수일 경우에는 동사 또한 3인칭 단수형을 쓴다.

> 3인칭 단수형이란?
> · 3인칭 : 1인칭(I, We), 2인칭(You)을 제외한 제3자 또는 사물
> · 단수 : 개수가 하나인 명사

1) 일반적으로 대부분의 일반동사 끝에 -s를 붙인다.

I speak English. (나는 / 말한다 / 영어를)

He speaks English. (그는 = 3인칭 단수 / 말한다 / 영어를)

2) 동사가 -o, -s, -ch, -sh로 끝나면 -es를 붙인다.

go - goes / watch - watches / wash - washes / teach - teaches

I <u>go</u> to school by bus. (나는 / <u>간다</u> / 학교에 / 버스를 타고)

Minho <u>goes</u> to school by bus. (민호는 = 3인칭 단수 / <u>간다</u> / 학교에 / 버스를 타고)

3) 동사가 [자음 + y]로 끝나면 y를 i로 고치고 -es를 붙인다.

study - studies / fly - flies

* [모음 + y] 이면 s만 붙임 play - plays

4) have는 has로 바뀐다.

I <u>have</u> a ball. (나는 / <u>가지고 있다</u> / 공 하나를)

She <u>has</u> a ball. (그녀는 = 3인칭 단수 / <u>가지고 있다</u> / 공 하나를)

(2) 일반동사의 부정문

1) do not(= don't) + 동사원형 : ~하지 않다

I <u>have</u> much money. (나는 / <u>가지고 있다</u> / 많은 돈을)

→ I <u>don't have</u> much money. (나는 / <u>가지고 있지 않다</u> / 많은 돈을)

They <u>like</u> a cat. (그들은 / <u>좋아한다</u> / 고양이를)

→ They <u>don't like</u> a cat. (그들은 / <u>좋아하지 않는다</u> / 고양이를)

2) 주어가 3인칭 단수인 경우 : does not(= doesn't) + 동사원형

She <u>likes</u> baseball. (그녀는 / <u>좋아한다</u> / 야구를)

→ She <u>doesn't like</u> baseball. (그녀는 / <u>좋아하지 않는다</u> / 야구를)

He <u>has</u> many friends. (그는 / <u>가지고 있다</u> / 많은 친구들을)

→ He <u>doesn't have</u> many friends. (그는 / <u>가지고 있지 않다</u> / 많은 친구들을)

(3) 일반동사의 의문문

1) Do + 주어 + 동사원형 ~?

You like a dog. (너는 / 좋아한다 / 개를)

→ Do you like a dog? (너는 개를 좋아하니?)

Yes, I do. / No, I don't.

2) Does + 3인칭 단수 주어 + 동사원형 ~?

He likes a dog. (그는 / 좋아한다 / 개를)

→ Does he like a dog? (그는 개를 좋아하니?)

Yes, he does. / No, he doesn't.

Review Test

01 다음 문장을 다양한 문장형태로 바꾸시오.

(1) I like music.

→ 부정문 : ______________________________

→ 의문문 : ______________________________

(2) She lives in Seoul.

→ 부정문 : ______________________________

→ 의문문 : ______________________________

02 다음 대화의 빈칸에 들어갈 알맞은 말을 〈보기〉에서 고르시오.

〈보기〉

do, don't, does, doesn't

(1) A : Do you have many pencils?

B : Yes, I __________.

(2) A : Do I look ugly?

B : No, you __________.

(3) A : Does she have breakfast?

B : Yes, she __________.

(4) A : Does he like English?

B : No, he __________.

03 다음 대화의 빈칸에 들어갈 알맞은 말을 고르시오.

A : Do you go to church?
B : ___________. I go to church on Sundays.

① Yes, I do
② No, I don't
③ Yes, I can
④ No, I'm not

04 다음 빈칸에 알맞지 않은 것은?

________ doesn't clean the room.

① He
② She
③ My sons
④ Mr. Kim

05 다음 괄호 안에서 알맞은 말을 고르시오.

(1) (Do / Does) you like swim?

(2) I (don't / doesn't) study math.

(3) I (like / likes) sports.

(4) (Do / Does) you have an umbrella?

(5) He (isn't / doesn't) wash his car.

06 다음 빈칸에 Do 와 Does 중 들어갈 말이 다른 하나를 고르시오.

① ______ you have a brother?

② ______ they like cake?

③ ______ she take a bus?

④ ______ Tom and Mary play the piano?

[7–9] 다음 빈칸에 알맞은 단어를 고르시오.

07

Does ______ play tennis well?

① we ② he ③ they ④ you

08

Do ______ have a car?

① he ② she ③ your father ④ you

09

______ he like a cat?

① Do ② Does ③ Is ④ Don't

정답 | 149쪽

Lesson

07 조동사

어휘 정리

lesson 7의 단어를 미리 보아요!

□ can	~할 수 있다
□ play	놀다, 연주하다
□ speak	말하다
□ use	사용하다
□ will	~할 것이다
□ park	공원
□ take a walk	산책하다
□ buy	사다
□ help	돕다
□ may	~일지도 모른다
□ telephone	전화
□ easy	쉬운
□ must	~해야 한다
□ homework	숙제
□ smoke	연기, 담배피다
□ liar	거짓말쟁이
□ should	~해야 한다
□ study	공부하다
□ hard	열심히
□ eat	먹다
□ had better	~하는 것이 낫다
□ take a rest	휴식을 취하다
□ follow	따르다
□ rule	규칙
□ outside	바깥, 실외
□ busy	바쁜
□ basketball	농구
□ office	사무실
□ go on a picnic	소풍가다
□ shout	소리치다
□ quiet	조용한

1 조동사

동사의 앞에 위치하여 동사에 뜻을 더해주는 말들을 의미한다.

조동사의 가장 큰 특징으로는 **조동사 뒤에 반드시 동사의 원형**이 온다는 것이다.

(1) can (could)

1) **가능** : ~할 수 있다. (= be able to)

He **can** play the piano. (그는 피아노를 **칠 수 있다**.)

I **am able to** skate very well. (나는 스케이트를 매우 잘 **탈 수 있다**.)

Can you speak Korean? (한국어를 말**할 수 있니**?)

Yes, I **can**. / No, I **can't**.

※ **could**는 **can**의 과거형 또는 can보다 공손한 의미로 사용한다.

Could you speak Korean? (한국어를 말**할 수 있으신가요**?)

2) **허락** : ~해도 좋다. (= may)

Can(= May) I use your pen? (당신의 펜을 사용해도 **될까요**?)

You **can** go home. (당신은 집에 가도 **좋습니다**.)

(2) will (would)

1) **미래** : ~할 것이다. (= be going to)

He **will** go to the park. (그는 공원에 **갈 것이다**.)

I **am going to** take a walk. (나는 산책을 **할 것이다**.)

I **won't(= will not)** buy a new car. (나는 새 차를 사지 **않을 것이다**.)

Will you help me? (나를 도와줄래?)

Yes, I **will**. / No, I **won't**.

※ **would**는 can보다 공손한 의미로 사용한다.

Would you help me? (저를 도와**주시겠어요**?)

(3) may (might)

1) **허락** : ~해도 좋다 (= can)

You may use it. (너는 그것을 사용**해도 좋다**.)

May I use your telephone? (당신의 전화기를 써도 **될까요**?)

Yes, you may. / No, you may not.

2) **추측** : ~일지도 모른다.

It may not be easy. (그것은 쉽지 않**을지도 모른다**.)

(4) must

1) **의무** : (반드시) ~해야 한다.(= have to)

You must do your homework. (너는 숙제를 **해야 한다**.)

= You have to do your homework.

You must not smoke at home. (너는 집에서 담배를 피면 **안된다**.)

2) **강한 추측** : ~임에 틀림없다. (↔ cannot ~일 리가 없다.)

She must be a liar. (그녀는 거짓말쟁이임에 **틀림없다**.)

She cannot be a liar. (그녀는 거짓말쟁이 **일리가 없다**.)

3) must와 have to의 **부정**

- **must not + 동사원형** : ~해서는 안된다.(금지)
- **don't have to** : ~할 필요가 없다.(불필요)

You must not sleep now. (너는 지금 자면 **안 된다**.)

You don't have to sleep now. (너는 지금 잘 **필요가 없다**.)

(5) should : (약한)의무, ~해야 한다, ~하는 것이 좋겠다.

You should study hard. (너는 열심히 공부를 하는 **것이 좋겠다**.)

You shouldn't eat too much. (너는 너무 많이 먹지 **않는 것이 좋다**.)

(6) had better : ~하는 것이 낫다.

You had better take a rest. (너는 휴식을 취하는 **것이 낫다**.)

You'd better follow the rule. (너는 규칙을 따르는 **것이 낫다**.)

You had better not go outside. (너는 밖에 나가지 않는 **것이 낫다**.)

Review Test

[1–3] 다음 대화의 빈칸에 들어갈 말로 알맞은 것을 고르시오.

01

A : Can you help me?
B : ______________ I'm busy now.

① Yes, I may.　② No, I can't.
③ Yes, I can.　④ No, you can't.

02

A : Can you swim?
B : ______________ I' m good at swimming.

① Yes, I can.　② Yes, she can.
③ No, I can't.　④ No, they can't.

03

A : Will you play basketball?
B : ______________ I must do my homework.

① Yes, I will.　② No, I won't.
③ Yes, he must.　④ Yes, you must.

[4–5] 다음 밑줄 친 부분과 의미가 같은 단어를 고르시오.

04

I <u>am able to</u> find her office.

① can　② must　③ will　④ should

05

They <u>are going to</u> go on a picnic.

① may　② can　③ could　④ will

06 다음 빈칸에 들어갈 가장 알맞은 말을 고르시오.

Don't shout. Jim is sleeping. You ________ be quiet.

① are ② is

③ should ④ can't

07 다음 두 문장의 의미가 같도록 빈칸에 들어갈 알맞은 말을 고르시오.

I will get up early.
= I ________ get up early.

① am able to ② am going to

③ is going to ④ have to

[8–9] 다음 말의 빈칸에 들어갈 수 없는 말을 고르시오.

08

I can't ______ fast.

① swim ② run ③ story ④ cook

09

Tom can ______ a sandwich.

① eat ② make ③ cheese ④ cook

정답 | 149쪽

Lesson

08 문장

어휘 정리

lesson 8의 단어를 미리 보아요!

□ good	좋은
□ best	가장 좋은
□ be	~이 되다
□ scientist	과학자
□ read	읽다
□ want	원하다
□ hobby	취미
□ exercise	운동, 운동하다
□ easy	쉬운
□ usually	보통
□ morning	아침
□ violin	바이올린
□ interested	관심 있는, 흥미 있는
□ math	수학
□ who	누가, 누구
□ when	언제
□ where	어디서, 어디에
□ what	무엇(을)
□ how	어떻게
□ why	왜
□ which	어느 것
□ whose	누구의 (것)
□ swim	수영하다
□ sea	바다
□ difficult	어려운
□ open	열다
□ quiet	조용한
□ mouth	입
□ again	다시
□ be afraid of	~을 두려워하다
□ nurse	간호사
□ careful	조심스러운, 신중한

1 문장

주어와 동사로 이루어진 형태를 의미한다.

(1) 영어의 문장성분

1) 주어(S) : ~은/는/이/가

Tom is my friend. (Tom은 나의 친구이다.)

Jane and Bill are good doctors. (Jane과 Bill은 좋은 의사이다.)

2) 동사(V) : ~이다, 하다

Tom is my best friend. (Tom은 나의 가장 친한 친구이다.)

I want to be a scientist. (나는 과학자가 되기를 원한다.)

3) 목적어(O) : 직접 목적어(을, 를), 간접 목적어(~에게)

I read the book. (나는 그 책을 읽는다.)

I love him. (나는 그를 사랑한다.)

She wants to go to the concert. (그녀는 콘서트에 가기를 원한다.)

4) 보어(C) : 문장에서 설명이 부족한 부분을 보충해 주는 말. 주격 보어, 목적격 보어

My father is tall. (나의 아버지는 키가 크다.) – 주격 보어

My hobby is doing exercise. (나의 취미는 운동하는 것이다.) – 주격 보어

I found the book easy. (나는 그 책이 쉽다는 것을 알았다.) – 목적격 보어

(2) 문장의 종류

1) 평서문

① 긍정문 : ~이다, ~하다

She is my friend. (그녀는 나의 친구이다.)

Tom usually plays tennis in the morning. (Tom은 보통 아침에 테니스를 친다.)

I can play the violin. (나는 바이올린을 연주할 수 있다.)

② 부정문 : ~가 아니다, ~하지 않다.

She isn't my friend. (그녀는 나의 친구가 아니다.)

Tom doesn't play tennis. (Tom은 테니스를 치지 않는다.)

I can't play the violin. (나는 바이올린을 연주할 수 없다.)

2) 의문문

① 의문사가 없는 의문문

Are you interested in math? (너는 수학에 관심이 있니?)

Yes, I am. / No, I'm not.

Do you like soccer? (너는 축구를 좋아하니?)

Yes, I do. / No, I don't.

Will you go to the party tonight? (너는 오늘 밤 파티에 갈 거니?)

Yes, I will. / No, I won't.

② 의문사가 있는 의문문

의문사 : **who, when, where, what, how, why, which, whose**

– 의문사 + be동사(am/are/is) + 주어 ~?

– 의문사 + do/does/did 또는 조동사 + 주어 + 일반동사의 원형 ~?

<u>Who</u> is Min-su? (민수가 **<u>누구입니까</u>**?)

<u>When</u> do you swim in the sea? (너는 바다에서 **<u>언제</u>** 수영하니?)

<u>How</u> can I help you? (당신을 **<u>어떻게</u>** 도와드릴까요?)

③ 부가의문문 : '그렇죠?, 그렇지 않나요?' 같이 상대방에게 확인, 동의를 구하는 표현

* 부가의문문 만들기

ⓐ 앞의 문장이 긍정 → 뒤의 문장은 부정 / 앞의 문장이 부정 → 뒤의 문장은 긍정

ⓑ 앞의 문장이 be동사 / 조동사 → 뒤의 문장도 be동사 / 조동사

앞의 문장이 일반동사 → 뒤의 문장은 do/does/did

ⓒ 앞의 문장 주어 → 같은 뜻의 대명사로 (원래 대명사면 그대로)

It is difficult, <u>isn't it</u>? (이것은 어려워요, **<u>그렇지 않나요</u>**?)

They are beautiful, <u>aren't they</u>? (그들은 아름답습니다, **<u>그렇지 않나요</u>**?)

She can't run fast, <u>can she</u>? (그녀는 빨리 달릴 수 없습니다, **<u>그렇죠</u>**?)

You like her, <u>don't you</u>? (너는 그녀를 좋아하지, **<u>안그래</u>**?)

You don't like her, <u>do you</u>? (너는 그녀를 안좋아하지, **<u>그렇지</u>**?)

You watched the show, <u>didn't you</u>? (너는 그 쇼를 봤어, **<u>그렇지 않니</u>**?)

3) 명령문

① 긍정 명령문 : ~해라

주어 you를 생략하고 동사원형으로 시작한다. please를 붙여 공손한 표현으로 쓸 수 있다.

You open the door.

→ Open the door. (문 열어.)

You come here.

→ <u>Please</u>, come here. (여기로 <u>**와주세요**</u>.)

You are quiet.

→ Be quiet, <u>please</u>. (조용히 <u>**해주세요**</u>.)

② 부정 명령문 : ~하지 마라 (금지)

명령문 앞에 Don't 또는 Never를 붙여 금지의 표현으로 쓸 수 있다.

Open your mouth. (입을 열어라.)

→ <u>Don't</u> open your mouth. (입을 열지 <u>**마라**</u>.)

<u>Never</u> do that again. (다시는 그러지 <u>**마라**</u>.)

<u>Don't</u> be afraid of dogs. (개를 무서워하지 <u>**마라**</u>.)

<u>Please don't</u> swim here. (여기에서 수영하지 <u>**마세요**</u>.)

4) 감탄문 : 정말 ~하군요!

① How + 형용사 (+ 주어 + 동사)

<u>How pretty</u> she is! (그녀는 <u>**참 예쁘구나**</u>!)

② What + (a/an) + 형용사 + 명사 (+ 주어 + 동사)

<u>What a pretty woman</u> (she is)! (그녀는 <u>**참 예쁜 여자구나**</u>!)

<u>What nice cars</u> (they are)! (그것들은 <u>**참 멋진 차구나**</u>!)

Review Test

[1-3] 다음 문장의 빈칸에 들어갈 말로 가장 적절한 것을 고르시오.

01

He can't play the piano, ____________?

① is he ② does he ③ can he ④ can't he

02

Jack's sister isn't a nurse, ____________?

① is she ② does she ③ can she ④ did she

03

You cook very well, ____________?

① are you ② do you ③ don't you ④ did you

04 다음 밑줄 친 부분이 문법상 어색한 것은?

① It's not difficult, is it?

② He can swim well, can't he?

③ She knows you, doesn't she?

④ You will go to the movies, don't you?

[5-6] 다음 문장의 빈칸에 들어갈 가장 알맞은 말을 고르시오.

05

Don't water this flower too much, ____________?

① do you ② don't you ③ will you ④ won't you

06

Let's swim, ____________?

① are we ② do we ③ can we ④ shall we

정답 | 149쪽

Lesson

09 의문사

어휘 정리

lesson 9의 단어를 미리 보아요!

☐ bike	자전거
☐ birthday	생일
☐ get up	일어나다
☐ chair	의자
☐ computer	컴퓨터
☐ football	축구
☐ flower	꽃
☐ rose	장미
☐ fine	좋은
☐ often	자주, 종종
☐ once	한 번
☐ twice	두 번
☐ old	오래된
☐ station	역
☐ tasty	맛있는
☐ who	누가, 누구
☐ when	언제
☐ where	어디서, 어디에
☐ what	무엇(을)
☐ how	어떻게
☐ why	왜
☐ which	어느 것
☐ whose	누구의 (것)

1 의문사

문장의 맨 앞에 와서 의문문을 이끈다. Yes, No가 아닌 구체적 사실로 대답한다.

의문사 : Who, When, Where, What, How, Why, Which, Whose 의문사 + be동사(am, are, is) + 주어 ~? 의문사 + do / does / did + 주어 + 일반동사의 원형 ~?

(1) Who : 누가, 누구

A : Who are you? (넌 **누구**니?)

B : I'm Jane. (나는 제인이야.)

A : Who is he? (그는 **누구**니?)

B : He is my teacher. (그는 나의 선생님이야.)

(2) whose : 누구의, 누구의 것

A : Whose bike is this? (이것은 **누구의** 자전거니?)

B : It is mine. (그것은 나의 것이야.)

※ 대답으로 소유대명사(~의 것)가 자주 쓰인다.

(3) When : 언제

A : When is your birthday? (너의 생일은 **언제**니?)

B : It's January 16th. (1월 16일이야.)

※ 구체적인 시각을 물을 때는 What time을 사용한다.

What time(= When) do you get up in the morning?

(너는 아침 **몇 시(= 언제)**에 일어나니?)

(4) Where : 어디에 / 어디서

A : Where is my bag? (나의 가방이 **어디에** 있니?)

B : Your bag is on the chair. (너의 가방은 의자 위에 있어.)

(5) What

1) 무엇, 무엇을

A : What is this? (이것은 무엇이니?)

B : It is a computer. (그것은 컴퓨터야.)

A : What do you have in your bag? (너는 가방에 무엇을 가지고 있니?)

B : I have three books in my bag. (나는 내 가방에 책 세 권을 가지고 있어.)

2) What + 명사 : 무슨 ~, 어떤 ~

A : What sport do you like? (너는 **어떤 운동**을 좋아하니?)

B : I like football. (나는 축구를 좋아해.)

A : **What flower** do you like? (너는 **무슨 꽃**을 좋아하니?)

B : I like a rose. (나는 장미꽃을 좋아해.)

(6) How

1) 어떻게

A : How do you go to school? (너는 학교에 **어떻게** 가니?)

B : I go to school by bus. (나는 학교에 버스를 타고 간다.)

※ by + 교통수단 : ~을 타고

A : How is your father? (너희 아버지는 **어떠시니**?)

B : He's fine. (그는 잘 지내.)

2) How + 형용사 / 부사

① How + often : 얼마나 자주

A : How often do you visit your hometown? (얼마나 자주 고향에 가시나요?)

B : Twice a month. (한 달에 2번이요.)

한 번 : once　두 번 : twice　세 번 : three times　네 번 : four times　…

② How + old : 얼마나 오래된, 몇 살 (나이를 묻는 표현)

A : How old are you? (몇 살이세요?)

B : I'm 30 years old. (저는 30살입니다.)

③ How + tall : 얼마나 높은, 얼마나 큰 (키를 묻는 표현)

A : <u>How tall</u> are you? (**<u>키가 얼마나</u>** 되세요?)

B : I'm 175cm. (저는 175cm입니다.)

④ How + many + 복수명사 : 얼마나 많은 (수)

A : <u>How many</u> brothers do you have? (형제가 **<u>얼마나 많이</u>** 있으신가요?)

B : I have a brother. (형제가 한 명 있습니다.)

⑤ How + much + 셀 수 없는 명사 : 얼마나 많은 (양), 가격

A : <u>How much</u> is it? (**<u>얼마</u>**에요?)

B : It's 20 dollars. (20달러입니다.)

⑥ How + long : 얼마나 오래 (소요시간)

A : <u>How long</u> does it take to Seoul? (서울까지 **<u>얼마나 걸리</u>**나요?)

B : About 2 hours. (약 2시간이요.)

분 : minute	**시** : hour	**일** : day	**주** : week	**월** : month	**년** : year

⑦ How + far : 얼마나 먼 (거리를 묻는 표현)

A : <u>How far</u> is it to the station? (역까지 **<u>얼마나 먼</u>**가요?)

B : It's 500m. (500m입니다.)

(7) Which : 어느, 어느 것

A : <u>Which</u> color do you like better, blue or red?

(파란색과 빨간색 중 **<u>어느</u>** 색이 더 좋니?)

B : I like blue better. (파란색이 더 좋아.)

※ Which ~, A or B? : A와 B 중에서 어느 것을 ~하니?

(8) Why : 왜

A : <u>Why</u> do you like coffee? (**<u>왜</u>** 커피를 좋아하니?)

B : <u>Because</u> it's tasty. (맛있기 **<u>때문이야</u>**.)

Review Test

01 대화의 빈칸에 들어갈 말로 가장 알맞은 것을 <보기>에서 고르시오.

〈보기〉

Who, When, Where, What, How, Why

(1) A : __________ shall we meet?

B : Let's meet at 5.

(2) A : __________ color do you like?

B : I like blue.

(3) A : __________ is he?

B : He is my uncle.

(4) A : __________ are you, Tim?

B : I'm in my room.

(5) A : __________ do you go to Hanyang Academy?

B : By subway.

(6) A : __________ is he so tired?

B : Because he didn't sleep well last night.

02 대화의 빈칸에 들어갈 말로 가장 알맞은 것을 <보기>에서 고르시오.

〈보기〉

often, tall, much, many, long

(1) A : How __________ does he play the piano?

B : Once a week.

(2) A : How __________ is the building?

B : It's almost 100m.

(3) A : How __________ does it take to Nonsan?

B : About an hour.

(4) A : How __________ books do you have?

B : I have four books.

(5) A : How __________ is it?

B : It's 3,000 won.

[3-7] 다음 빈칸에 알맞은 것을 고르시오.

03

A : ________ is your family?

B : They are fine.

① Which ② Where ③ What ④ How

04

A : ________ do you do?

B : I'm a pianist.

① Which ② Who ③ What ④ When

05

A : ________ are you going to America?

B : By airplane.

① How ② When ③ Where ④ Why

06

A : ________ do you like baseball?
B : Because it's fun.

① When ② Who ③ Why ④ How

07

A : ________ do you want, beef or chicken?
B : Beef, please.

① Why ② Which ③ Whose ④ When

정답 | 149쪽

Lesson

10 시제

어휘 정리

lesson 10의 단어를 미리 보아요!

□ talk	이야기하다
□ begin	시작하다
□ bring	가지고오다
□ do	하다
□ drink	마시다
□ eat	먹다
□ feel	느끼다
□ find	찾다
□ give	주다
□ hear	듣다
□ keep	계속하다, 유지하다
□ put	두다, 놓다
□ get up	일어나다
□ lie	거짓말(하다)
□ earth	지구
□ move	움직이다
□ practice	연습하다
□ discover	발견하다
□ take place	발생하다
□ novel	소설
□ since	~이후로
□ work	일
□ before	전에

1 시제

시간의 상태를 이야기하며, 크게 현재, 과거, 미래가 있다. 한국어에서 과거를 '~었다', 미래를 '~할 것이다.' 라고 표현하듯 영어도 동사의 변화로 시제를 나타낸다.

(1) **동사의 변화** : 현재형, 과거형, 과거분사형

1) **규칙 변화** : 동사의 원형에 -(e)d를 붙인다.

현재(~하다)	과거(~했었다)	과거분사(~된, 되어진, ~당한)
like(좋아하다)	liked	liked
love(사랑하다)	loved	loved
play(놀다, 연주하다)	played	played
help(도와주다)	helped	helped
talk(말하다)	talked	talked
study(공부하다)	studied	studied

※ 자음 + y로 끝나는 동사 : y를 i로 고치고 -ed

2) **불규칙 변화**

현재(~하다)	과거(~했었다)	과거분사(~된, 되어진, ~당한)
begin(시작하다)	began	begun
bring(가져오다)	brought	brought
buy(사다)	bought	bought
catch(잡다)	caught	caught
do(하다)	did	done
drink(마시다)	drank	drunk / drunken
eat(먹다)	ate	eaten
feel(느끼다)	felt	felt
find(찾다)	found	found
get(얻다, 가지다)	got	got(gotten)
give(주다)	gave	given
go(가다)	went	gone
have(가지다, 먹다)	had	had

현재(~하다)	과거(~했었다)	과거분사(~된, 되어진, ~당한)
hear(듣다)	heard	heard
keep(유지하다)	kept	kept
make(만들다)	made	made
put(넣다, 두다)	put	put
read(읽다)	read	read
run(달리다)	ran	run
say(말하다)	said	said
sing(노래하다)	sang	sung
sit(앉다)	sat	sat
speak(말하다)	spoke	spoken
stand(서다)	stood	stood
swim(수영하다)	swam	swum
take(걸리다, 가지다)	took	taken
teach(가르치다)	taught	taught
tell(이야기하다)	told	told
think(생각하다)	thought	thought
win(이기다)	won	won

※ be동사

<table>
<tr><th colspan="2">현재(~이다)</th><th>과거(~이었다)</th><th>과거분사(~된, 이었던)</th></tr>
<tr><td rowspan="3">be
(원형)</td><td>am</td><td rowspan="2">was</td><td rowspan="3">been</td></tr>
<tr><td>is</td></tr>
<tr><td>are</td><td>were</td></tr>
</table>

(2) 시제 : 동사의 동작과 상태의 시간을 나타내는 표현

1) 현재 시제

① 현재의 습관적인 동작 (습관, 직업, 성질, 능력)

He **gets up** at six every morning. (그는 매일 아침 6시에 **일어난다**.)

She **doesn't tell** a lie. (그녀는 거짓말을 **하지 않는다**.)

② 불변의 진리, 격언

The earth <u>**moves**</u> around the sun. (지구는 태양 주변을 <u>**돈다**</u>.)

Practice <u>**makes**</u> perfect. (연습이 완벽을 <u>**만든다**</u>.)

2) 과거 시제

① 과거 한 시점에서의 동작 또는 상태

I <u>**got up**</u> at six this morning. (나는 오늘 아침 6시에 <u>**일어났다**</u>.)

He <u>**didn't**</u> tell a lie. (그는 거짓말을 하지 <u>**않았다**</u>.)

② 역사적 사실

Columbus <u>**discovered**</u> America in 1492. (콜롬버스는 1492년에 미대륙을 <u>**발견했다**</u>.)

World war Ⅱ <u>**broke out**</u> in 1939. (세계 2차 대전이 1939년에 <u>**발발했다**</u>.)

3) 미래 시제

① 미래에 일어날 사실, 진행할 의지

I <u>**will do**</u> my best. (나는 최선을 다 <u>**할 것이다**</u>.)

The wedding <u>**will take place**</u> in May. (그 결혼은 5월에 <u>**열릴 것이다**</u>.)

4) 진행형

주어 + be동사 + 동사원형ing : ~하고 있다, ~하는 중이다.

He <u>**is talking**</u> on the phone now. (그는 지금 전화로 이야기 <u>**하는 중이다**</u>.)

I <u>**am looking**</u> for ties for my father. (나는 나의 아버지를 위한 넥타이를 <u>**찾는 중이다**</u>.)

She <u>**was reading**</u> a novel when I arrived.

(그녀는 내가 도착했을 때 소설을 <u>**읽는 중이었다**</u>.)

※ 주의해야 할 진행형

· 소유, 상태의 동사는 진행형을 쓸 수 없다.

· 가까운 미래를 대신하여 사용

5) 현재 완료

과거에 일어난 일이 현재까지 영향을 미칠 때 쓰인다.

have / has + 과거분사(p.p)

① 완료 : 막 ~했다.

보통 just, already, now와 같은 부사와 함께 쓰인다.

He **has** just **finished** his work. (그는 그의 일을 막 **끝마쳤다**.)

I **have** already **met** my uncle. (나는 이미 내 삼촌을 **만났다**.)

② 계속 : ~해오고 있다.

보통 since, for와 같은 부사와 함께 쓰인다.

She **has lived** in Busan for two years. (그녀는 2년 동안 부산에서 **살아오고 있다**.)

He **has studied** math since last year. (그는 작년 이래로 수학을 **공부해오고 있다**.)

③ 경험 : ~한 적이 있다.

보통 before, often, never, ever와 같은 부사와 함께 쓰인다.

I **have met** him before. (나는 전에 그를 **만난 적이 있다**.)

I **have been** to Korea. (나는 한국에 방문해본 **적이 있다**.)

④ 결과 : 과거의 일이 현재까지 영향을 미칠 때

She **has gone** to Europe. (그녀는 유럽에 **가버렸다**.)

I **have lost** my dog. (나는 나의 개를 **잃어버렸다**.)

※ 주의 할 현재완료

- 결과 : **has gone to** : ~에 가버렸다 (그 결과 여기에 없다.)
  He has gone to Canada. (그는 캐나다에 가버렸다.)
- 경험 : **have been to** : ~에 방문한 적이 있다, 갔다 왔다
  I have been to Canada. (나는 캐나다에 방문한 적이 있다.)

Review Test

01 괄호 안에서 가장 알맞은 말을 고르시오.

(1) He (watches, watched) TV too much yesterday.

(2) My sister was (swim, swimming) in the pool.

(3) I (go, will go) to Paris next Monday.

(4) The student (studies, has studied) English for 8 years.

02 다음 문장을 우리말과 일치하도록 빈칸에 들어갈 알맞은 말을 고르시오.

(1) Terry는 지난 주 토요일에 서울에 있었다.

Terry ________ in Seoul last Saturday.

① am ② is ③ was ④ were

(2) 나는 다음 주에 책을 살 것이다.

I _______ a book next week.

① buy ② bought ③ am buying ④ will buy

(3) 그는 지금 공부 중이다.

He _______ now.

① study ② studies ③ is studying ④ studied

(4) 나는 그 때 운전을 하고 있는 중이었다.

I _______ my car at that time.

① drive ② drives ③ is driving ④ was driving

(5) 나는 10년 동안 서울에 살았다.

I _______ in Seoul for 10 years.

① live ② living ③ is driving ④ have lived

03 다음 괄호 안에서 알맞은 것을 고르시오.

(1) He will visit his parents (yesterday, tomorrow).

(2) I'm going to travel to Turkey (last, next) winter.

(3) We visited Chicago (last, next) year.

(4) I'm listening to the radio (now, tomorrow).

(5) Will you come to James' party (tomorrow, yesterday)?

04 밑줄 친 부분에 유의하여 우리말로 옮기시오.

(1) He <u>has gone to</u> London.

→ ____________________

(2) I <u>have been to</u> England many times.

→ ____________________

정답 | 150쪽

Lesson

11 태

어휘 정리

lesson 11의 단어를 미리 보아요!

- □ by ~에 의하여
- □ cake 케익
- □ interest 흥미를 갖게하다
- □ surprise 놀라게 하다
- □ news 소식
- □ mountain 산
- □ bottle 병
- □ wine 와인
- □ carry 옮기다
- □ coin 동전
- □ dust 먼지
- □ result 결과
- □ milk 우유
- □ build 짓다
- □ break 깨다

1 태

동사의 상태를 나타낸다. 주어와 동사 간의 관계에 따라 능동, 수동으로 나뉜다.

· 능동태 : 주어가 동작을 하는 의미 (~가 …을 하다.)

예 Columbus discovered America. (콜롬버스가 아메리카 대륙을 발견했다.)

· 수동태 : 주어가 동작을 받는 의미 (~가 …을 당하다.)

예 America was discovered by Columbus. (미국은 콜롬버스에 의해 발견됐다.)

수동태의 형태 : be동사 + 과거분사

(1) 수동태 만들기

- 능동태의 목적어 → 수동태의 주어
- 능동태의 동사 → be + 과거분사
- 능동태의 주어 → by + 목적격

예 능동태 문장 : I make the pizza.

수동태 문장 : The pizza is made by me.

She loves him. (그녀는 그를 사랑한다.)

→ He is loved by her. (그는 그녀에 의해 사랑받는다.)

※ 수동태의 시제는 be동사로 나타낸다.

The cake **is made** by me. (그 케이크는 나에 의해 **만들어진다**.)

The cake **was made** by me. (그 케이크는 나에 의해 **만들어졌다**.)

The cake **will be made** by me. (그 케이크는 나에 의해 **만들어질 것이다**.)

(2) by 이외의 전치사를 쓰는 수동태

1) be interested in : ~에 흥미있다

I **am interested in** sports. (나는 스포츠**에 흥미있다**.)

2) be surprised at : ~에 놀라다

She **was surprised at** the news. (그녀는 그 소식**에 놀랐다**.)

3) **be covered with** : ~으로 덮여있다

The mountain's top **is covered with** snow. (그 산의 꼭대기는 눈**으로 덮여있다**.)

4) **be filled with** : ~으로 가득하다(= be full of)

The bottle **was filled with** wine. (그 병은 와인**으로 가득했다**.)

Review Test

01 다음 괄호 안에서 알맞은 말을 고르시오.

(1) His bag (was carry, was carried) by her.

(2) The chair (makes, is made) by my father.

02 대화의 빈칸에 들어갈 말로 가장 알맞은 것을 <보기>에서 고르시오.

〈보기〉

in with by at of to

(1) He was interested ________ old coins.

(2) The chair is covered ________ dust.

(3) He was surprised ________ the result.

(4) English is spoken ________ many people.

(5) The cup was filled ________ milk.

[3-4] 다음 빈칸에 들어갈 말로 알맞은 것은?

03

The church ________ 100 years ago.

① build ② built ③ building ④ was built

04

Yesterday, the window ________ by him.

① break ② is broken ③ was broken ④ will break

정답 | 150쪽

Lesson

12 to부정사

어휘 정리

lesson 12의 단어를 미리 보아요!

□ study	공부하다
□ difficult	어려운
□ take a walk	산책하다
□ health	건강
□ early	이른, 일찍
□ important	중요한
□ decide	결심하다
□ hobby	취미
□ collect	모으다
□ stamp	우표
□ a lot of	많은
□ work	일하다
□ sit	앉다
□ look for	~을 찾다
□ crazy	미친
□ tired	피곤한
□ rich	부유한
□ enough	충분한
□ soon	곧
□ pilot	비행기조종사
□ poem	시
□ keep	유지하다
□ drink	마시다

1 to부정사

동사원형의 앞에 to를 붙여 다양한 품사의 역할을 하도록 만든 것이다.

to + 동사원형의 형태
문장 속에서 명사, 형용사, 부사의 역할을 한다.

(1) 명사적 용법

문장 안에서 주어, 목적어, 보어의 역할. '~하는 것, ~하기' 등으로 해석한다.

1) **주어** : ~하는 것(은)

To study English is very difficult. (영어를 공부하는 것은 매우 어렵다.)

To take a walk is good for health. (산책하는 것은 건강에 좋다.)

※ 일반적으로 to부정사가 주어로 사용되는 경우는 it(가주어)을 맨 앞에 대신 놓고, to 부정사(진주어)를 문장의 뒤에 놓는다.

To get up early is important. (일찍 일어나는 것은 중요하다.)

= It is important to get up early.

2) **목적어** : ~하는 것(을)

I want to go with you. (나는 너와 같이 가기를 원한다.)

He decided to learn English. (그는 영어를 배울 것을 결심했다.)

She likes to play the guitar. (그녀는 기타를 연주하는 것을 좋아한다.)

3) **보어** : ~하는 것이다. (be동사 + to부정사)

Her job is to drive a bus. (그의 직업은 버스를 운전하는 것이다.)

My hobby is to collect stamps. (나의 취미는 우표를 모으는 것이다.)

4) **의문사 + to부정사** : (의문사) 할지

I don't know what to do. (나는 무엇을 할지 모르겠다.)

· how to do : 어떻게 해야 할지
· what to do : 무엇을 해야 할지
· where to go : 어디로 가야 할지
· when to go : 언제 가야 할지

(2) 형용사적 용법

형용사와 마찬가지로 명사를 수식하고, '~해야 할, ~할' 등으로 해석한다.

We have a lot of work <u>to do</u>. (우리는 <u>할</u> 일들이 많이 있다.)

I have no friend <u>to help me</u>. (나는 <u>나를 도와줄</u> 친구가 없다.)

He needs a chair <u>to sit on</u>. (그는 <u>앉을</u> 의자가 필요하다.)

※ 어순주의 : (-thing, -body, -one 으로 끝나는 단어) + 형용사 + to부정사

I want to <u>something hot to drink</u>. (저는 <u>따뜻한 마실 것을</u> 원합니다.)

I'm looking for <u>something interesting to do</u>. (나는 <u>재밌는 할 것을</u> 찾고 있다.)

(3) 부사적 용법

목적, 원인, 결과, 이유 등을 표현하는 부사처럼 사용한다.

1) **목적** : ~하기 위하여

He came here <u>to play</u>. (그는 여기 <u>놀기 위해</u> 왔다.)

2) **감정의 원인** : ~해서

I'm happy <u>to see</u> you. (나는 너를 <u>봐서</u> 행복하다.)

3) **판단의 근거** : ~하다니

You must be crazy <u>to say</u> so. (그렇게 <u>말하다니</u> 너는 미친 것이 분명하다.)

(4) 관용적인 표현

1) too … to ~(= so … that 주어 can't 동사원형) 너무 …해서 ~할 수 없다.

I'm <u>too</u> tired <u>to</u> study English. (나는 <u>너무</u> 피곤<u>해서</u> 영어공부를 <u>할 수 없다</u>.)

= I'm so tired that I can't study English.

2) enough to 동사(= so … that 주어 can 동사원형) : ~할 만큼 충분히 …하다.

He is rich <u>enough to</u> buy the house. (= 그는 그 집을 <u>살만큼 충분히 부자다</u>.)

= He is so rich that he can buy the house.

Review Test

01 다음 밑줄 친 to부정사에 유의하여 우리말로 옮기시오.

(1) I hope to find something soon.

→ ______________________________

(2) She gave me something to eat.

→ ______________________________

(3) My wish is to be a pilot.

→ ______________________________

(4) He doesn't have a chair to sit on.

→ ______________________________

(5) It is fun to play baseball.

→ ______________________________

02 밑줄 친 it의 쓰임이 〈보기〉와 같은 것을 고르시오.

〈보기〉

It's difficult to understand the poem.

① What day is it today?

② It's Monday.

③ I like to watch TV. Do you like it?

④ It's important to keep the air clean.

03 다음 빈칸에 들어갈 말로 알맞은 것을 고르시오.

He is ________ young to drink.

= He is so young that he can't drink.

① such ② very ③ too ④ either

정답 | 150쪽

Lesson

13 동명사

어휘 정리

lesson 13의 단어를 미리 보아요!

□ interesting	재미있는
□ math	수학
□ difficult	어려운
□ enjoy	즐기다
□ finish	끝내다
□ give up	~을 포기하다
□ mind	꺼리다
□ want	원하다
□ expect	기대하다, 예상하다
□ decide	결심하다
□ agree	동의하다
□ promise	약속(하다)
□ remember	기억하다
□ forget	잊어버리다
□ yesterday	어제
□ tonight	오늘밤

1 동명사

동사원형의 뒤에 ing를 붙여 동사를 명사의 역할을 하도록 만든 것이다.

동사원형 + ing : ~하는 것

(1) 동명사의 쓰임

1) 주어 : ~하는 것은

Playing tennis is very interesting. (테니스를 치는 것은 매우 흥미롭다.)

Studying math is very difficult. (수학을 공부하는 것은 매우 어렵다.)

2) 목적어

① 동사의 목적어 : ~하는 것을

He began learning English. (그는 영어 배우길 시작했다.)

She enjoys swimming. (그녀는 수영하는 것을 즐긴다.)

I finished doing my homework. (나는 내 숙제하는 것을 끝냈다.)

② 전치사의 목적어

Thank you for coming. (와주셔서 감사합니다.)

I'm sorry for being late. (늦어서 죄송합니다.)

※ 전치사 뒤에는 to부정사가 아닌 동명사를 사용한다.

3) 보어 : ~하는 것이다. (be동사 + 동명사)

His job is driving a bus. (그의 직업은 버스를 운전하는 것이다.)

My hobby is collecting stamps. (나의 취미는 우표를 모으는 것이다.)

(2) 동명사와 부정사의 비교

1) 동명사만을 목적어로 취하는 동사

enjoy, finish, stop, give up, mind + 동명사

I enjoy playing tennis after school. (나는 방과 후에 테니스 치는 것을 즐긴다.)

I gave up buying the car. (나는 차를 사는 것을 포기했다.)

2) to부정사만을 목적어로 취하는 동사

hope, want, expect, decide, agree, promise + to부정사

I <u>**want to be**</u> a scientist. (나는 과학자가 <u>**되기를 원한다**</u>.)

We <u>**decided to go**</u> to USA next year. (우리는 내년에 미국에 <u>**가기를 결정했다**</u>.)

3) 동명사와 부정사를 취하는 경우, 그 의미가 달라지는 동사

stop + 동명사 : ~하는 것을 멈추다.(그만두다)
stop + to부정사 : ~하기 위하여 멈춰서다.

He stopped <u>**smoking**</u>. (그는 <u>**담배 피는 것을**</u> 멈췄다.)

He stopped <u>**to smoke**</u>. (그는 <u>**담배를 피우기 위해**</u> 멈췄다.)

remember (forget) + 동명사 : ~한 것을 기억하고 있다.(잊다)
remember (forget) + to부정사 : ~할 것을 기억하고 있다.(잊다)

I remember <u>**meeting her**</u>. (나는 그녀를 <u>**만났던 것을**</u> 기억한다.)

I remember <u>**to meet her**</u>. (나는 그녀를 <u>**만날 것을**</u> 기억한다.)

(3) 동명사와 현재분사의 비교

현재분사(~중, ~하는)는 동사를 형용사로 사용하는 분사의 한 종류로서 동명사와 형태가 동일하므로, 해석에 유의할 필요가 있다.

I am swimming. (나는 수영하는 중이다. / 현재분사 / I ≠ swimming)

My hobby is swimming. (나의 취미는 수영이다. / 동명사 / My hobby = swimming)

Review Test

[1-5] 다음 빈칸에 들어갈 말로 알맞은 것을 고르시오.

01

Lily finished ________ the book yesterday.

① read ② reading
③ to read ④ reads

02

Do you enjoy ________ cards with Ann?

① play ② playing
③ to play ④ played

03

Would you mind ________ the door?

① open ② opened
③ opening ④ have opened

04

________ is easier than doing.

① To talking ② Talk
③ Talking ④ Talks

05

How about ________ for a drive tonight.

① to go ② going
③ went ④ go

정답 | 150쪽

Lesson

14 관계사

어휘 정리

lesson 14의 단어를 미리 보아요!

□ be good at	~을 잘하다
□ hobby	취미
□ field	들판
□ book	예약하다
□ place	장소
□ way	길, 방법
□ reason	이유
□ be born	태어나다
□ absent	결석한
□ ending	결말
□ honest	정직한
□ stay	머무르다
□ change	바꾸다
□ award	상

1 관계사

두 문장을 연결하여 관계절을 이루는 품사를 관계사라고 하며, 관계대명사와 관계부사가 있다.

(1) 관계대명사

두 문장을 연결하는 **접속사의 역할**과 앞의 명사를 대신하는 **대명사의 역할**을 동시에 한다.

예 He has a friend. The friend is good at tennis.
(그는 친구 한 명이 있다. 그 친구는 테니스를 잘 친다.)

→ He has a friend. She is good at tennis.
(그는 친구 한 명이 있다. 그녀는 테니스를 잘 친다.)

→ He has a friend and she is good at tennis.
(그는 친구 한 명이 있는데 그녀는 테니스를 잘 친다.)

→ He has a friend **who** is good at tennis. (그는 테니스를 잘 치는 한 친구가 있다.)

※ 관계대명사가 이끄는 문장은 불완전한 문장이며 형용사의 역할을 한다.

「관계대명사는 선행사와 관계대명사절에서 생략된 명사가 원래 어떻게 쓰였는지에 따라 다르게 사용한다.」

선행사 \ 격	주격	소유격	목적격
사람	who	whose	who(m)
사물, 동물	which	whose, of which	which
사람, 사물, 동물	that	×	that
선행사 포함	what	×	what

1) 선행사가 사람일 때

① 주격(who)

I know a boy. He is very tall. (나는 한 소년을 안다. 그는 키가 매우 크다.)

→ I know a boy **who** is very tall. (나는 키가 매우 큰 한 소년을 안다.)

② 소유격(whose)

This is the girl. Her hobby is skating.
(이 사람은 소녀이다. 그녀의 취미는 스케이트 타는 것이다.)

→ This is the girl **whose** hobby is skating.
(이 사람은 스케이트 타는 것이 취미인 그 소녀이다.)

③ 목적격(whom)

I know the boy. She loves him very much.

(나는 그 소년을 안다. 그녀는 그를 매우 많이 사랑한다.)

→ I know the boy **who(m)** she loves very much.

(나는 그녀가 매우 사랑하는 소년을 안다.)

2) 선행사가 사물(동물)일 때

① 주격(which)

I have a dog. It swims well. (나에게 개 한 마리가 있다. 그 개는 수영을 잘한다.)

→ I have a dog **which** swims well. (나에게는 수영을 잘 하는 개 한 마리가 있다.)

② 소유격(whose / of which)

He has a dog. The dog' s legs are short.

(그에게는 개 한 마리가 있다. 그 개의 다리는 짧다.)

→ He has a dog **whose** legs are short. (그에게는 다리가 짧은 개 한 마리가 있다.)

③ 목적격(which)

This is the pen. Min-su gave it to me.

(이것은 펜이다. 민수는 그 펜을 나에게 주었다.)

→ This is the pen **which** Min-su gave to me. (이것은 민수가 나에게 준 펜이다.)

3) 관계대명사 that

① 선행사에 사람, 사물(동물) 같이 있을 때

Look at the girl and puppy **that** are playing on the field.

(들판에서 놀고 있는 소녀와 개를 봐라.)

② the only, the very, the same, all, every, any, no 등이 선행사를 수식할 때

This is the only room **that** I booked. (이것은 내가 예약한 유일한 방이다.)

③ something, nothing, everything, anything 등이 선행사일 때

He found nothing **that** he wanted to have.

(그는 그가 갖고자 했던 어떤 것도 찾지 못했다.)

④ 선행사가 서수나 최상급의 수식을 받았을 때

This is the best book **that** I have ever read.

(이것은 내가 여태껏 읽은 최고의 책이다.)

4) **관계대명사 what**

what = the thing(s) which(that) = 선행사를 포함하는 관계대명사 = ~하는 것(들)

This is the thing **which** I want to know. (이것은 내가 알기를 원하는 것이다.)

= This is **what** I want to know.

(2) 관계부사

두 문장을 연결하는 **접속사의 역할**을 함과 동시에 선행사에 따라 시간, 장소, 이유, 방법을 나타내는 **부사의 역할**을 한다.

▶ **관계부사의 종류**

선행사		관계부사
장소	the place	where
시간	the time	when
이유	the reason	why
방법	the way	how

※ 관계부사가 이끄는 문장은 완전한 문장이며 형용사의 역할을 한다.

※ 선행사 the way와 관계부사 how는 둘 중 하나를 반드시 생략해야 한다.

1) **where** : 선행사가 장소(place, house, city, town, …)일 때

This is the place **where** I was born. (이것은 내가 태어난 장소이다.)

2) **when** : 선행사가 시간(time, day, month, …)일 때

I don't know the time **when** she helped me.

(나는 그녀가 나를 도와줬던 때를 알지 못한다.)

3) **why** : 선행사가 이유(the reason)일 때

This is the reason **why** I was absent from school.

(이것이 내가 학교를 결석한 이유이다.)

4) **how** : 선행사가 방법(the way)일 때

This is **how** he made it. (○) (이것은 그가 그것을 만든 **방법**이다.)

This is **the way** he made it. (○)

This is **the way how** he made it. (×)

Review Test

[1-4] 다음 빈칸에 들어갈 말로 알맞은 것을 고르시오.

01

Jenny has some friends __________ live in Japan.

① who ② whom ③ whose ④ which

02

I don't like stories __________ have unhappy endings.

① who ② whom ③ whose ④ which

03

This is the man __________ is honest.

① who ② whom ③ whose ④ which

04

They are the tables __________ my father bought.

① which ② whose ③ who ④ whom

05 **다음 문장의 괄호 안에서 가장 알맞은 말을 고르시오.**

(1) The hotel (when, where) we stayed was by a beautiful lake.

(2) Sunday is the day (when, where) I go to church.

(3) That's the reason (how, why) I changed my job.

(4) I'll never forget the time (the way, when) I won the award.

정답 | 150쪽

Lesson

15 접속사

어휘 정리

lesson 15의 단어를 미리 보아요!

□ and	그리고
□ exercise	운동(하다)
□ healthy	건강한
□ subway	지하철
□ hurry up	서두르다
□ late	늦은, 늦게
□ homework	숙제
□ turn off	끄다
□ both	둘 다
□ win	이기다
□ earth	지구
□ round	둥근
□ believe	믿다
□ truth	진실
□ innocent	순진한, 무죄의
□ certain	확실한
□ question	질문
□ pay	지불하다
□ angry	화난
□ lose	지다, 잃다
□ last	지난, 마지막
□ forgive	용서하다
□ hard	어려운, 열심히
□ regret	후회하다
□ skinny	마른
□ forget	잊다
□ well	잘, 건강한
□ cancel	취소하다

1 접속사

단어와 단어, 구와 구, 절과 절을 연결해 주는 역할을 한다.

(1) 접속사의 종류

1) 등위접속사

① and

ⓐ '그리고, ~와(과)'

예 You **and** I are good friends. (너**와** 나는 좋은 친구이다.)

I like English **and** music. (나는 영어**와** 음악을 좋아한다.)

ⓑ 명령문 다음에 쓰이면 '그러면' 의 뜻이 된다.

예 Exercise everyday, **and** you'll be healthy.

(매일 운동해라, **그러면** 너는 건강할 것이다.)

= If you exercise everyday, you'll be healthy.

(만약 너가 운동을 매일 한다면, 너는 건강할 것이다.)

② or

ⓐ '혹은, 또는, 아니면'

예 Do you go to school by bus **or** by subway?

(너는 버스 **또는** 지하철로 학교를 가니?)

ⓑ 명령문 다음에 쓰이면 '그렇지 않으면' 의 뜻이 된다.

예 Hurry up, **or** you'll be late. (서둘러라, **그렇지 않으면** 넌 늦을 거야.)

= If you don't hurry up, you'll be late. (만약 너가 서두르지 않으면 늦을 거야.)

= Unless you hurry up, you'll be late.

③ but : 그러나

예 I like cats, **but** she doesn't like cats.

(나는 고양이를 좋아**하지만**, 그녀는 고양이를 좋아하지 않는다.)

She wanted to go there, **but** she had no time.

(그녀는 거기에 가기를 **원했지만**, 시간이 없었다.)

④ for : 왜냐하면(= because)

예 We can't do our homework, **for** the light is turned off.

(전등이 나갔기 **때문에** 우리는 숙제를 할 수 없다.)

⑤ so : 그래서

예 I wanted to buy this camera, <u>so</u> I bought it.
(나는 이 카메라를 사기를 **<u>원해서</u>** 그것을 구매했다.)

2) 등위상관접속사 (= 짝으로 이루어진 접속사)

① both A and B : A와 B 둘 다

예 **<u>Both</u>** you **<u>and</u>** I will win the game. (너와 나 **<u>둘 다</u>** 그 경기에서 이길 것이다.)

② not only A but also B : A뿐만 아니라 B도 역시 (= B as well as A)

예 **<u>Not only</u>** you **<u>but also</u>** I will win the game.
(너**<u>뿐만 아니라</u>**, 나**<u>도</u>** 그 경기를 이길 것이다.)
= I **<u>as well as</u>** you will win the game.

<u>Not only</u> James **<u>but also</u>** I am kind. (제임스 **<u>뿐만 아니라</u>** 나 **<u>또한</u>** 친절하다.)
= I **<u>as well as</u>** James am kind.

③ Neither A nor B : A도 B도 둘 다 아닌

예 **<u>Neither</u>** you **<u>nor</u>** I will win the game.
(너도 나도 **<u>둘 다</u>** 그 경기를 이기지 **<u>못할 것이다</u>**.)
<u>Neither</u> James **<u>nor</u>** I am a student. (제임스도 나도 **<u>둘 다</u>** 학생이 **<u>아니다</u>**.)

④ Either A or B : A, B 둘 중 하나

예 **<u>Either</u>** you **<u>or</u>** I will win the game.
(너 또는 나 **<u>둘 중에 하나</u>**가 그 경기를 이길 것이다.)
<u>Either</u> I **<u>or</u>** James is a student. (나 또는 제임스 **<u>둘 중에 한 명</u>**은 학생이다.)

3) 종속접속사 : 주절과 종속절(이어진 문장에서 조건, 원인 따위를 나타내며 주절을 꾸미는 문장)을 이어주는 역할

① 접속사 that 절 : ~라는 것 (명사 역할)

예 **<u>That</u>** the earth is round is true. (지구가 둥글**<u>다는 것은</u>** 사실이다.)
= It is true **<u>that</u>** the earth is round.
I believe **<u>that</u>** he is honest. (나는 그가 정직**<u>하다는 것을</u>** 믿는다.)
The truth is **<u>that</u>** he is innocent. (사실은 그가 결백**<u>하다는 것</u>**이다.)

② 접속사 if / whether 절 : ~인지 (아닌지) (명사 역할)

예 Whether he will come or not is not certain. (그가 갈지 안 갈지는 불분명하다.)

I don't know if she will come back.

(나는 그녀가 돌아올지, 오지 않을지 알지 못한다.)

The question is whether I should pay or not.

(질문은 내가 지불을 하냐 하지 않느냐이다.)

③ 부사절을 이끄는 접속사

ⓐ 시간을 나타내는 접속사

when(~할 때), since(~이후로), after(~후에), before(~전에), until(~까지), while(~하는 동안에)

예 When my father came home, we slept.

(나의 아버지가 집으로 오셨을 때, 우리는 잤다.)

After we had lunch, we played baseball.

(우리가 점심을 먹은 후에, 야구를 했다.)

ⓑ 원인, 이유를 나타내는 접속사

because(~이기 때문에), since(~이니까), as(~하므로)

예 She was very angry, because I was late.

(내가 늦었기 때문에 그녀는 매우 화가 났다.)

ⓒ 조건을 나타내는 접속사

if(만약 ~라면), unless(만약 ~아니라면)

예 If it rains tomorrow, we can't go there.

(만일 내일 비가 오면, 우리는 거기에 갈 수 없다.)

Unless you exercise everyday, you will gain your weight.

(만일 너가 매일 운동하지 않으면, 너는 살이 찔 것이다.)

ⓓ 양보를 나타내는 접속사

though, although, even though, even if (비록 ~일지라도, ~임에도 불구하고)

예 I couldn't sleep last night **although** I was very tired.
(**비록** 내가 매우 피곤했**음에도 불구하고** 나는 어젯밤에 잠을 잘 수가 없었다.)

※ 접속사 문제와 관련하여 자주 나오는 단어, 숙어
for example(= for instance) (예를 들면), moreover (게다가, 더욱이),
therefore (그러므로), as a result (그 결과), however (그러나, 하지만),
on the other hand (그 반면, 반면에), fortunately (다행스럽게),
unfortunately (불행히도)

Review Test

01 다음 문장의 괄호 안에서 가장 알맞은 말을 고르시오.

(1) Tell the truth, (and, or) mom will forgive you.

(2) (If, Unless) you study hard, you'll regret it.

(3) Open the door, (and, or) you'll be cool.

(4) Study hard, (and, or) you'll pass the exam.

02 우리말과 일치하도록 할 때 빈칸에 들어갈 말로 가장 적절한 것을 고르시오.

(1) I was very skinny ________ I was young. (나는 어렸을 때 매우 말랐었다.)

① if　　② when

③ because　　④ until

(2) Do it now ________ you forget. (잊어버리기 전에 지금 해라.)

① as　　② because

③ while　　④ before

(3) I was sick, ________ I couldn't keep my promise.

(나는 아파서 약속을 지키지 못했다.)

① because　　② so

③ such　　④ while

(4) I had to stay home ________ I didn't feel well.

(나는 몸이 좋지 않아서 집에 있어야 했다.)

① because　　② so

③ before　　④ until

(5) _________ it rained, the baseball match was not cancelled.

(비가 왔지만 야구경기는 취소되지 않았다.)

① If ② So

③ Because ④ Though

(6) _________, they like to live in the sea.

(예를 들면, 그들은 바다에서 사는 것을 좋아한다.)

① And ② But

③ For example ④ Until

(7) _________, I believe that he is doing a great job.

(하지만, 나는 그가 잘하고 있다고 믿는다.)

① For example ② And

③ However ④ Therefore

정답 | 150쪽

Lesson

16 전치사

어휘 정리

lesson 16의 단어를 미리 보아요!

□ since	~이후로
□ during	~동안
□ till(until)	~까지
□ breakfast	아침 식사
□ go on a picnic	소풍가다
□ spring	봄
□ church	교회
□ over	(바로) 위에
□ under	~아래에
□ arrive	도착하다
□ airport	공항
□ street	길
□ knife	칼
□ without	~없이
□ in front of	~앞에
□ stand	서다
□ concert	콘서트
□ parent	부모님
□ soon	곧
□ take care of	~을 돌보다
□ all day	하루 종일
□ take part in	~에 참석하다
□ son	아들
□ culture	문화
□ turn on	켜다
□ put on	입다
□ snowman	눈사람
□ winter	겨울

1 전치사

명사, 대명사, 동명사 앞에 놓여 형용사구, 부사구의 역할을 한다.

(1) 전치사의 종류

1) 시간을 나타내는 전치사

□ at + 시간 : ~에	□ on + 요일, 날짜 : ~에
□ in + 달, 계절, 연도 : ~에	□ for + 기간 : ~동안
□ since : ~이후로	□ during : ~동안
□ by : ~까지는 (동작의 완료)	□ till(until) : ~까지 (동작의 계속)

We eat breakfast at eight. (우리는 8시에 아침을 먹는다.)

We go on a picnic in spring. (우리는 봄에 소풍을 간다.)

He goes to church on Sundays. (그는 주일에 교회에 간다.)

He has lived in Busan for ten years. (그는 10년 동안 부산에 살았다.)

I have studied English since last year. (나는 지난해 이후로 영어를 공부해왔다.)

▨ 기타 시간을 나타내는 표현

□ at noon : 정오에	□ at night : 밤에
□ in the morning : 아침에	□ in the afternoon : 오후에

2) 장소를 나타내는 전치사

□ at : (좁은 장소) ~에	□ around : 주위에
□ in : (넓은 장소) ~에	□ up : 위쪽에
□ on : ~위에	□ down : 아래쪽에
□ over : 바로 위에	□ along : ~을 따라서
□ under : ~아래에	□ across : ~을 가로질러서
□ between : ~사이에 (둘 사이에)	□ before : ~앞에
□ among : ~사이에 (3개 이상)	□ behind : ~뒤에

We arrived at the airport at four. (우리는 4시에 공항에 도착했다.)

There is a bag on the table. (식탁 위에 가방 하나가 있다.)
There are cats under the desk. (책상 아래에 고양이들이 있다.)
We went across the street. (우리는 길을 가로질러 갔다.)

3) 기타의 전치사

□ by : ~에 의하여	□ with + 사람 : ~와 (함께)
□ about : ~에 관하여	□ with + 도구 : ~으로
□ to : ~로, ~에, ~까지	□ without : ~없이
□ from : ~부터 (시간, 장소)	□ for : ~을 위해
* by + 교통수단 : ~을 타고서 (단, 걸어서는 on foot)	

This building was built by Romans. (이 건물은 로마인들에 의해 지어졌다.)
I go to school. (나는 학교에 간다.)
I cut the cake with my mother. (나는 엄마와 케이크를 자른다.)
I cut the cake with knife. (나는 칼로 케이크를 자른다.)
I cut the cake without knife. (나는 칼 없이 케이크를 자른다.)
We go to church on foot. (우리는 걸어서 교회에 간다.)
He did it for her. (그는 그녀를 위해 그것을 했다.)

(2) 전치사가 있는 숙어

1) 전치사구

□ in front of : ~앞에	□ because of : ~때문에
□ according to : ~에 의하면, ~에 따르면	□ thanks to : ~덕분에

She is standing in front of the building with her mother.
(그녀는 그녀의 엄마와 함께 그 건물 앞에 서 있다.)
Thanks to his help, I could win the game.
(그의 도움 덕분에, 나는 그 경기를 이길 수 있었다.)
We put off the concert because of rain.
(우리는 비가 왔기 때문에 콘서트를 연기했다.)

2) 동사 + 전치사

□ call on : (사람을) 방문하다	□ look after : ~을 돌보다
□ look for : ~을 찾다	□ run after : ~을 뒤쫓다
□ wait for : 기다리다	□ attend to : ~을 시중들다, 처리하다

I'm looking for pants. (나는 바지를 찾고 있다.)

I waited for you in front of the building. (나는 그 건물 앞에서 너를 기다렸다.)

3) 동사 + 부사 + 전치사

□ look forward to : ~을 기대하다	□ look up to : ~을 존경하다
□ speak well of : ~을 칭찬하다	□ do away with : ~을 제거하다

We should look up to parents. (우리는 부모님을 공경해야 한다.)

I'm looking forward to seeing you soon. (나는 곧 너를 볼 것을 기대하고 있다.)

4) 동사 + 명사 + 전치사

□ make use of : ~을 이용하다	□ take care of : ~을 돌보다
□ find fault with : ~을 비난하다	□ take part in : ~에 참가하다

I must take care of my sister all day. (나는 하루종일 내 동생을 돌봐야 한다.)

Will you take part in the meeting tonight? (너는 오늘 밤에 그 모임에 참여할 거니?)

5) 형용사 + 전치사 : 보통 be동사와 함께 사용된다.

□ be afraid of : ~을 두려워하다	□ be absent from : ~에 결석하다
□ be full of : ~이 가득하다	□ be fond of : ~을 좋아하다
□ be famous for : ~로 유명하다	□ be good at : ~에 능숙하다
□ be proud of : ~을 자랑스러워하다	□ be different from : ~와 다르다

My mom is good at cooking. (나의 엄마는 요리를 잘 하신다.)

He is proud of her son. (그는 그의 아들을 자랑스러워한다.)

Korean culture is different from that of USA. (한국 문화는 미국 문화와 다르다.)

Review Test

01 다음 문장의 괄호 안에서 가장 적절한 말을 아래 해석을 참고하여 고르시오.

He will go (from, to, in) L.A. (from, to, in) New York.
그는 L.A.에서 뉴욕까지 갈 것이다.

02 다음 대화의 빈칸에 알맞은 말을 고르시오.

A : When are you going to meet him?
B : ______ three o'clock.

① At ② In ③ On ④ Of

[3-4] 다음 빈칸에 들어갈 알맞은 말을 고르시오.

03

· Please turn ______ the radio.
· You'd better put ______ your coat. It's cold outside.

① by ② on
③ from ④ with

04

· I'm interested ______ math.
· There is a computer ______ my room.

① in ② of
③ to ④ with

05 다음 빈칸에 들어갈 알맞은 말을 〈보기〉에서 고르시오.(중복가능)

〈보기〉

at　in　on　from　for　to　after

(1) His uncle will come back home _____ a month.
(그의 삼촌은 한 달 후에 집에 돌아올 것이다.)

(2) We can make a snowman _____ winter. (우리는 겨울에 눈사람을 만들 수 있다.)

(3) My mother always reads books _____ night.
(우리 엄마는 항상 밤에 책을 읽으신다.)

(4) It is very hot _____ August in Korea. (한국에서 8월은 매우 덥다.)

정답 | 151쪽

Lesson 17

가정법

어휘 정리

lesson 17의 단어를 미리 보아요!

□ bird	새
□ fly	날다
□ enough	충분한
□ study	공부하다
□ much	많이
□ buy	사다
□ car	차
□ tall	키가 큰
□ honest	정직한
□ diligent	근면한
□ speak	말하다
□ doctor	의사
□ daughter	딸
□ let	~하게 하다

1 가정법

앞으로의 소망을 나타내거나, 사실과 반대되는 가정을 나타내는 표현방식을 말한다.

(1) 가정법의 여러 가지 형태

1) 가정법 과거 : 현재 사실과 반대되는 가정

If + 주어 + 동사(과거형/were) + ~ , 주어 + 조동사의 과거형(would/could) + 동사원형 ~ 만약 ~라면(조건절) ~할 텐데(주절)

※ 동사의 형태는 과거지만 현재로 해석한다.

※ 가정법의 if절에서 be동사를 쓸 때는 주어의 인칭, 수와 관계없이 were를 사용한다.

If I were a bird, I could fly to you. (만일 내가 새라면, 너에게 날아갈텐데.)
(= As I am not a bird, I can't fly to you.)
(내가 새가 아니기 때문에 너에게 날아갈 수 없다.)
If he had enough money, he would go to Europe.
(만일 그가 충분한 돈이 있다면, 유럽에 갈텐데.)
If I were you, I would study harder.
(만일 내가 너라면, 나는 더 열심히 공부를 할텐데.)

2) 가정법 과거완료 : 과거 사실과 반대되는 가정

If + 주어 + had + 과거분사 + ~, 주어 + 조동사의 과거형(would/could) + have + 과거분사 ~ 만약 ~했더라면(조건절) ~했을 텐데(주절)

If I had had much money, I could have bought a car.
(만일 내가 돈이 많았더라면, 나는 차 한 대를 샀을 텐데.)
(= As I didn't have much money, I couldn't buy a car.)
(내가 돈이 많지 않았기 때문에, 차를 살 수가 없었다.)
(= I didn't have much money, so I couldn't buy a car.)
(내가 돈이 많지 않아서, 차를 살 수가 없었다.)
If she had known it, she would have done it.
(만일 그녀가 그것을 알았더라면, 그녀는 그것을 했었을 텐데.)

3) **I wish + 가정법** : '~하면 좋을 텐데', 이룰 수 없는 소망을 표현할 때 쓴다.

I wish I were tall. (**나는** 키가 크길 **소망한다**.)

I wish he were honest. (**나는** 그가 정직하기를 **소망한다**.)

I wish she were diligent. (**나는** 그녀가 부지런하기를 **소망한다**.)

4) **as if** : 마치 ~인 것처럼

He speaks as if he were a doctor. (그는 **마치** 그가 의사**인 것처럼** 말한다.)

Review Test

[1-2] 다음 빈칸에 들어갈 알맞은 말을 고르시오.

01

If my daughter ________ to be a dancer, I would let her do.

① want ② wanted
③ will want ④ was wanted

02

If that were true, I would ________ very surprised.

① were ② was
③ be ④ am

[3-4] 다음 우리말과 일치하도록, 빈칸에 들어갈 말로 가장 적절한 것을 고르시오.

03

그는 마치 모든 것을 알고 있는 것처럼 말했다.
→ He spoke as if he ________ everything.

① know ② knows
③ knew ④ have known

04

그녀가 지금 여기 있다면 좋을 텐데.
→ I wish she ________ here now.

① is ② were
③ was ④ has been

정답 | 151쪽

E N G L I S H

PART 3

생활영어

PART 3

생활영어

01 인사하기

① 만났을 때 인사

Hello. (안녕)

Hi. (안녕)

A : Hello, Min-su.

B : Hi, Jane.

② 시간에 따른 인사

Good (morning / afternoon / evening)! 좋은 (아침 / 오후 / 저녁) 입니다!

* Good night! 좋은 밤 되세요! (주로 자기 전에 하는 인사말)

③ 헤어질 때 인사

Bye. (안녕.)

Good-bye. (안녕.)

Take care. (조심해서 가.)

See you (again / later / tomorrow). (다시 / 나중에 / 내일) 만나요.

Have a nice day. (좋은 하루 보내세요.)

Have a good weekend. (좋은 주말 보내세요.)

A : Take care, In-ho.

B : Have a nice weekend, Kim.

02 소개하기

① 누군가를 다른 사람에게 소개하기

This is Mrs. Park. (이 분은 박여사님입니다.)

Let me introduce Mr. Park (to you). (박 선생님을 소개해 드리겠습니다.)

② 처음 뵙겠습니다.

How do you do?

* How do you do? 의 대답은 동일하게 How do you do? 로 한다.

③ 만나서 반갑습니다.

Nice(Glad) to meet you.

Nice(Glad) to meet you, too.

A : This is Mr.Kim. He is a doctor.

B : Nice to meet you Mr. Kim.

C : Nice to meet you, too.

④ 자기 소개하기

My name is Tom. (제 이름은 Tom입니다.)

I am a student. (저는 학생입니다.)

My name is Hye-jin. I'm 15 years old. I was born in Seoul.

⑤ 안부 묻기

How are you (today)? ((오늘) 어떠세요?)

= How are you doing?

= How's it going?

What's up? (별일 없지?)

How have you been? (어떻게 지내셨어요?)

(I'm) okay / fine / good / very well. (저는) 괜찮아요.

Not too(so) bad. (그리 나쁘진 않아요.)

A : Hi, Timmy. How are you?

B : Good. And you?

A : Not so bad.

03 감사표현

① 감사합니다.

Thanks (a lot).

Thank you very(so) much.

② Thank you for ~ : ~에 대해서 고맙습니다.

Thank you for inviting me. (저를 초대해 주셔서 감사합니다.)

Thank you for your present. (선물해 줘서 고마워.)

③ 천만에요.

You're welcome.

Don't mention it.

Not at all.

My pleasure.

> A : Happy birthday! This is for you.
>
> B : Thank you so much.
>
> A : You're welcome.

04 사과표현

① 사과

I'm sorry. (미안합니다.)

It's my fault. (제 잘못입니다.)

② I'm sorry for ~ : ~ 에 대해서 미안합니다.

I'm sorry for being late. (늦어서 미안합니다.)

③ 괜찮습니다.

That's OK.

That's all right.

Never mind.

It doesn't matter.

> A : I'm sorry, but I can't help you.
>
> B : That's OK.

05 유감표현

① 무슨 일 있습니까?

What's wrong (with you)?

What's the problem?

What's the matter?

What's up?

② 유감 표현하기

I'm sorry to hear that. 그 말을 들으니 유감입니다.

I'm afraid we have no room. 유감이지만 우리는 남은 방이 없습니다.

That's too bad. 그것 참 안됐구나.

I'm worried. 나는 걱정된다.

> A : What's wrong?
> B : My arm was broken.
> A : That's too bad.

06 전화표현

① ~와 통화할 수 있나요?

May I speak to Tom?

Can I talk to Tom?

② 누구세요?

Who's calling, please?

Who's this?

③ 저는 ~입니다.

This is (자기이름 / he / she).

This is (자기이름 / he / she) speaking.

Speaking.

④ 전화 잘못 거셨어요.

You have the wrong number.

⑤ 메시지를 남기시겠어요?

May I take a message?

Would you like to leave a message?

※ 전화상으로 '전데요' 라는 표현은 I am 대신 This is를 쓴다.

A : May I speak to Jane?

B : This is Jane speaking. Who's this?

A : This is Min-ji.

07 물건사기

① ~을 도와드릴까요?

May I help you?

What can I do for you?

Do you need help?

② ~은 어떤가요?

How about ~?

What about ~?

③ 여기 있습니다.

Here you are.

Here it is.

Here they are.

④ ~을 찾고 있습니다.

I'm looking for~.

⑤ 살게요.

I'll take it.

A : I'm looking for a hat.
B : What color do you like?
A : Red, please.
B : How about this one?
A : I like it. I'll take it. How much is it?

08 제안하기

① ~하자. (~합시다.)

Let's ~.

Why don't we ~?

How(What) about ~ing?

Shall we ~?

② 제안 승낙의 표현

That sounds good.

That's a good idea.

OK. (= All right.)

Why not?

Sure. I'd love to.

Of course.

③ 상대방 말에 동의하기

I agree with you.

I think so, too.

You can say that again.

④ 제안 거절의 표현

I'm sorry, but I can't.

I'm afraid I can't.

I'd love to, but ~.

Maybe next time.

A : Amy. What are you going to do today?

B : Nothing special. Why?

A : How about playing baseball?

B : That sounds good.

09 권유하기 / 요청하기

① 요청이나 권유의 표현

Will you ~?

Would you ~?

예 Will you help me?

Would you like something to drink?

② 응답 표현

승낙 : Yes, please.

거절 : No, thank you.

A : Would you like a cup of tea?

B : Yes, please.

A : Do you want some more?

B : No, thanks. I'm full.

10 길 안내

① 길을 물을 때

Where is (장소)?

How can I get to (장소)?

Would you show(tell) me the way to the (장소)?

② 길 안내

Go straight. 직진하세요.

Go down this street. 이 길 따라서 내려가세요.

Turn left. 좌회전 하세요.

Turn right. 우회전 하세요.

It'll be on your left(right). 당신 왼쪽(오른쪽)에 있을 거예요.

③ 저도 초행길입니다.

I'm a stranger here, too.

④ 꼭 찾으실 겁니다.

You can't miss it.

11 장소 / 관계

① post office 우체국

A : How can I help you?

B : Could I have a stamp?

A : Of course. Anything else?

B : No, thanks.

→ stamp (우표), postcard (엽서), mail (우편), letter (편지)

② hospital 병원

A : What's the problem with you?

B : I have a terrible headache.

A : Let me check. Don't worry. It's not so serious.

Here is the prescription.

→ fever (열), cold (감기), ache (통증), runny nose (콧물), sore throat (인후염), broken (부러진, 골절된), medicine (약), prescription (처방전)

③ airport 공항

A : May I see your passport?

B : Here you are.

A : Are you here for business or pleasure?

B : For pleasure.

→ passport (여권)

④ restaurant 식당

A : May I take your order?

B : I'd like a beef steak.

A : How do you like your steak?

B : Well-done, please.

→ order (주문), menu (메뉴), salad (샐러드), hamburger (햄버거), sandwich (샌드위치)

· 주문하시겠어요?
May I take your order?
Are you ready to order?

· steak(스테이크) 관련 표현
Well-done (바싹 익힘) / Medium (중간 익힘) / Rare (덜 익힘)

⑤ 기타 장소
→ bank (은행), library (도서관), book store (서점), station (역), museum (박물관)

12 날씨

① 날씨가 어떻습니까?
How is the weather?
What's the weather like?

② 날씨를 나타내는 표현

→ sunny (햇빛 비치는), rainy (비오는), cold (추운), snowy (눈 오는), windy (바람 부는), cloudy (구름 낀), hot (더운), foggy (안개 낀)

A : How is the weather there in Jeju?

B : It's <u>rainy</u>.

ENGLISH

PART 4

연습문제

Exercises

01 다음 대화의 상황으로 알맞은 것을 고르시오.

A : Hi, Sudong. Long time no see.
B : Hi, How have you been?

① 자신을 소개할 때
② 오랜만에 만났을 때
③ 친구를 소개할 때
④ 헤어질 때

02 다음 빈칸에 들어가기에 어색한 말을 고르시오.

A : How are you, Mi-na?
B : ________________.

① Not so good
② Fine
③ Pretty good
④ Sorry, I'm busy

03 다음 빈칸에 들어가기에 알맞지 않은 말을 고르시오.

A : ____________________
B : Not bad.

① How are you doing?
② How is it going?
③ What do you think?
④ How are you?

04 다음 글에서 밑줄 친 표현을 사용한 이유로 적절한 것은?

A : You don't look so good. What happened?
B : I'm not feeling well. I think I have a cold.
A : <u>You should get some rest</u>.

① 인사
② 감사
③ 조언
④ 불평

05 **다음 대화의 빈칸에 들어갈 가장 적절한 말을 고르시오.**

Alex : What's wrong with Jaeho?
Betty : He has a bad cold.
Alex : ______________

① Good for him!
② You're right.
③ That's all right.
④ That's too bad.

06 **다음 대화의 빈칸에 들어갈 말로 적절하지 않은 것을 고르시오.**

A : You look tired. What's up?
B : I have a headache.
A : ______________ I'm sure you will get well.

① I'm sorry to hear that.
② That's okay.
③ That's too bad.
④ What a pity!

07 **다음 대화의 응답으로 적절하지 않은 것을 고르시오.**

A : What happened?
B : I had a car accident.
A : ______________.

① I'm sorry to hear that
② Sorry, but I should go
③ That's too bad
④ That's a pity

08 **다음 대화의 밑줄 친 부분과 의미가 같은 것을 고르시오.**

A : I don't feel well today.
B : That's too bad.

① Good for you.
② I'm sorry to hear that.
③ You should get some rest.
④ That sounds great.

09 다음 대화의 빈칸에 들어갈 말로 가장 적절하지 않은 것을 고르시오.

A : Thank you for inviting me.
B : ________________

① My pleasure.
② You're welcome.
③ Don't mention it.
④ You are right.

10 다음 밑줄 친 B의 의도로 알맞은 것은?

A : I won a chess game again.
B : That's great!

① 축하
② 부탁
③ 감사
④ 반대

11 다음 대화의 밑줄 친 부분에 가장 알맞은 것은?

A : I took a math test yesterday.
I got a good grade on the test.
B : ________________

① That's too bad.
② Don't worry.
③ Let's go together.
④ That's wonderful!

12 다음 대화의 밑줄 친 부분에 이어질 말로 적절하지 않은 것은?

A : I'm worried about the speech contest.
B : Come on! ________________

① Take it easy.
② You will be fine.
③ Here it is.
④ Don't worry.

13 다음 대화의 밑줄 친 부분에 가장 적절한 것은?

A : I got a poor grade in the math test.
B : ____________________ You will do better next time.

① That's a good idea. ② That's right.
③ That sounds great. ④ Don't worry.

14 다음 대화의 밑줄 친 말의 의도로 가장 알맞은 것은?

Hodong : I got a bad grade in math again.
Yumi : Don't worry. I'm sure you'll do better next time.
Hodong : Thank you for cheering me up.

① 칭찬하기 ② 격려하기
③ 축하하기 ④ 초대하기

15 다음 대화의 밑줄 친 부분에 알맞은 것은?

A : ____________________
B : At seven o'clock.

① How about going to a concert?
② Why were you so late?
③ When will you meet her?
④ Let's go together.

16 다음 대화의 빈칸에 들어갈 말로 가장 적절한 것은?

A : ________ time shall we make it?
B : How about two?

① Where ② What
③ When ④ How

17

다음 대화의 빈칸에 들어갈 말로 적절하지 <u>않은</u> 것을 고르시오.

> A : What's your hobby?
> B : ______________

① I like my hobby.

② My hobby is playing soccer.

③ I like to go to the movies.

④ I like collecting stamps.

18

다음 대화의 응답에 들어갈 말로 가장 적절한 것은?

> A : How's the weather?
> B : ______________

① I caught a cold.
② It's a book.
③ His name is sunny.
④ It's rainy.

19

다음 그림을 보고 물음에 답하시오.

> How's the weather?

① It's sunny.
② It's cloudy.
③ It's snowy.
④ It's hot.

20

다음 질문에 대한 대답으로 알맞은 것을 고르시오.

> A : What time do you get up?
> B : ______________

① I get up at 6:30.
② I'm 13 years old.
③ It's 5km.
④ January 8th, 1988.

21 다음 대화 후, Kelly가 할 행동으로 알맞은 것은?

Jane : Kelly, Mike called you earlier.
Kelly : Did he? I'll call him back right now.
Jane : Okay.

① 식사하기 ② 외출 준비
③ 전화하기 ④ 약속잡기

22 다음 대화에서 쇼핑을 하기로 한 요일을 고르시오.

A : Do you want to go shopping tomorrow?
B : No, on Tuesday.
A : Why?
B : There is a no sale on Monday.

① 월요일 ② 화요일
③ 수요일 ④ 목요일

23 다음 대화의 빈칸에 들어갈 말로 가장 적절한 것은?

A : Help yourself to this cake.
B : ____________ I've already had enough.

① Yes, please. ② All right.
③ That's all. ④ No, thanks.

24 다음 대화의 빈칸에 들어갈 말로 알맞은 것은?

Jay : What are you going to do today?
Alan : I'm going to visit my uncle in Gwangju.
Jay : How do you get to Gwangju?
Alan : ______________

① By bus. ② Forty minutes.
③ No problem. ④ Every weekend.

25

다음 대화에서 A가 찾고 있는 장소는?

A : How can I get to the hospital?

B : Go straight and turn left at the corner.

It's on your right. You can't miss it.

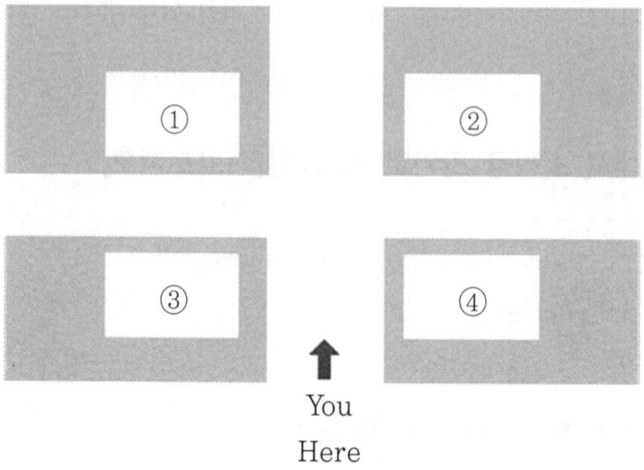

26

다음 대화에서 A가 찾고 있는 장소는?

A : Excuse me. Where's the Daehan Building?

B : Go straight and turn right at the corner.

It's on your right. You can't miss it.

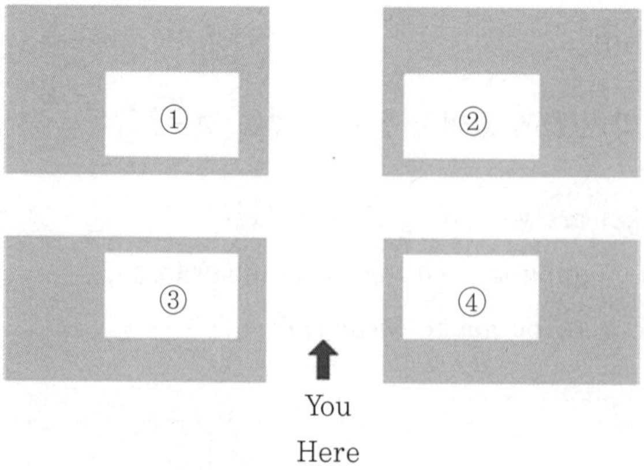

27

다음 대화의 빈칸에 들어갈 말로 가장 적절한 것은?

A : Two pencils and one notebook are 1,500 won.
B : Here's 2,000 won.
A : Here's the ________. It's 500 won. Thank you.

① change ② count
③ quarter ④ dollar

28

다음 대화의 빈칸에 들어갈 말로 가장 적절한 것은?

A : I'm looking for a pair of gloves.
B : What ______ would you like?
A : I'd like black.
B : Here you are.

① size ② number
③ color ④ kinds

29

다음 대화의 빈칸에 들어갈 말로 가장 적절한 것은?

A : I'm looking for a bag.
B : How about this one?
A : Oh, I'll take it. ____________
B : It's 10 dollars.

① Here it is.
② How much is it?
③ I want to buy a bag.
④ What number is that?

30 다음 대화의 빈칸에 들어갈 말로 가장 적절한 것은?

A : I want a shirt with bright patterns.
B : How about this one?
A : It looks nice. ____________
B : Sure, the fitting room is over there.

① May I help you?
② May I speak to Minho?
③ May I try it on?
④ Will you do me a favor?

31 다음 대화가 이루어지는 장소는?

A : Can I help you?
B : Yes, please. Can I try on these shoes?
A : Sure. What color?
B : Red, please.

① 신발 가게 ② 과일 가게
③ 식료품 가게 ④ 선물 가게

32 다음 대화에서 두 사람의 관계로 가장 알맞은 것은?

A : This is the post office. How can I help you?
B : I'd like to mail this package.
A : Okay. How do you want it to be sent?
B : Please send it as soon as possible.

① 우체국 직원 – 고객 ② 영화관 직원 – 손님
③ 의사 – 환자 ④ 도서관 사서 – 학생

33 **다음 대화에서 두 사람의 관계로 가장 알맞은 것은?**

A : Where do you want to go, sir?
B : I'd like to go to Sindorim Station as soon as possible.
A : Okay. Please fasten your seat belt.

① 택시 기사 – 승객 ② 서점 점원 – 손님
③ 소방관 – 시민 ④ 기자 – 경찰

34 **두 사람의 관계로 가장 적절한 것은?**

A : May I take your order?
B : Yes, I would like a beef sandwich and a chicken salad.
A : OK, Anything else?

① 배우 – 관객 ② 의사 – 환자
③ 교사 – 학생 ④ 식당종업원 – 손님

35 **다음 대화의 밑줄 친 부분의 의도로 가장 적절한 것은?**

A : Su-jin, <u>Can you come to my birthday party</u>?
B : I'm sorry, but I can't

① 제안 ② 위로 ③ 경고 ④ 충고

36 **다음 대화에서 Jane이 말한 의도로 알맞은 것은?**

Jane : Tom, <u>Can you do me a favor</u>?
Tom : Sure. What is it?
Jane : <u>Can you lend me your bike</u>?

① 격려 ② 사과 ③ 부탁 ④ 안내

37 다음 대화의 빈칸에 들어갈 말로 가장 적절한 것을 고르시오.

A : ______________________
B : What is it?
A : Can you help me do the dishes?
B : I'm sorry, but I can't.

① Can you do me a favor?
② Can I help you?
③ What are you doing?
④ What can I do for you?

38 다음 대화의 빈칸에 들어갈 수 있는 가장 적당한 말은?

A : Could you help me?
B : ________________ I have to go swimming.

① Yes, I'd love to.
② That sounds good.
③ I'm afraid I can't.
④ No problem.

39 다음 대화의 빈칸에 들어갈 수 있는 가장 적당한 말은?

A : Sorry, I broke your bike.
B : ________________.

① Yes, you have to.
② That's all right.
③ Congratulations!
④ Good for you.

40 다음 대화의 빈칸에 들어갈 말로 가장 적절한 것을 고르시오.

A : I heard that you can go to the party on Saturday. Is that true?
B : ________________

① I'm not angry.
② No thanks.
③ Yes, it is.
④ I'm sorry.

41 다음 대화의 빈칸에 들어갈 말로 가장 적절한 것을 고르시오.

A : Why don't we go to gym?
B : ___________ What time shall we meet?

① That's a good idea.
② I have something to do.
③ Sorry, I can't
④ I'd love to, but I can't.

42 다음 대화에서 Jane이 말한 의도로 알맞은 것은?

A : I'm going to a concert tomorrow. I think the concert is so much fun.
B : I think so, too. Can I join you?
A : <u>Why not</u>?

① 불만
② 무시
③ 칭찬
④ 승낙

43 주어진 말에 이어질 대화의 순서로 가장 알맞은 것은?

You look so warm. Are you Okay?

〈보기〉

(A) Yes, I am. But do you mind if I open the door?
(B) Thank you very much.
(C) Of course not. Go ahead.

① (A)–(B)–(C)
② (A)–(C)–(B)
③ (B)–(C)–(A)
④ (C)–(A)–(B)

44 주어진 말에 이어질 대화의 순서로 가장 알맞은 것은?

Are you ready to order now?

〈보기〉

(A) How would you like your steak?

(B) Yes, I'd like a steak.

(C) Well-done, please.

① (A)-(B)-(C)
② (B)-(A)-(C)
③ (B)-(C)-(A)
④ (C)-(B)-(A)

45 다음 대화가 일어나는 장소로 알맞은 것은?

A : Are you ready to order?

B : Yes, I'd like a hamburger and coke.

A : For here or to go?

B : For here, please.

① 도서관
② 음식점
③ 은행
④ 우체국

46 다음 대화의 빈칸에 들어갈 말로 가장 적절한 것은?

A : Hello. May I speak to Kim?

B : ______________

B : This is Mike.

① Can I take a message?

② Who are you?

③ Who's this, please?

④ What are you doing?

47 다음 글의 내용과 일치하지 않는 것은?

> I want to be a doctor. When I was 10 years old, I saw people who was suffering in the world. I want to help those people. It is not easy to be a doctor. But I will do my best.

① 나는 의사가 되고 싶다.

② 나는 고통받는 사람들을 도와주고 싶다.

③ 의사가 되는 것은 쉬운 일이다.

④ 나는 최선을 다할 것이다.

48 다음 글의 주제로 알맞은 것은?

> We have a wrong idea about pigs. Many people think that pigs are dirty. But that's not true. They wash their body in mud. They roll around in the mud and remove the insects on their skin.

① 돼지고기는 가공해서 먹어야 한다.

② 돼지의 피부는 사람과 비슷하다.

③ 돼지는 더러운 동물이 아니다.

④ 진흙 속에는 피부에 좋은 물질이 있다.

49 다음 글의 제목으로 가장 적절한 것은?

> Have you ever seen color purple in any national flag? Until the 1800s, only rich people could buy this color. Because one gram of purple dye only came from 10,000 special kind of snails. It's very hard to get one gram of purple dye.
>
> * dye : 염료

① 달팽이의 역사

② 비싼 염료 : 보라색

③ 달팽이의 효능

④ 국기의 진실 : 왕가의 상징

50 밑줄 친 It(it)이 가리키는 것으로 가장 적절한 것은?

You can see this on the street. It helps people cross the street safely. It has different colors of lights. When it is a green light, people can cross. When it is a red light, people should stop and wait at the crosswalk.

① 표지판 ② 신호등

③ 버스정류장 ④ 가로수

51 다음 문장 뒤에 이어질 말로 가장 알맞은 것은?

Everyone gets angry. Sometimes calming down is very hard. Here are some tips to relax when you are angry.

① 화를 다스리는 방법

② 불행을 행복으로 바꾸는 방법

③ 친구들과 화해하는 방법

④ 올바른 수면 방법

52 다음 글의 주제로 가장 알맞은 것은?

My family and I went to Japan last summer. We stayed there for five days. We went to the Universal studio and enjoyed its various rides. We had a great time! I want to go there again someday.

① My Family Member

② Tips for Making Plans

③ The Importance of Family

④ My Family's Summer Trip

53 다음 글에서 지난 주 월요일 오전에 Minho가 한 일로 알맞은 것은?

> Last Monday, Minho visited his grandmother to help her. In the morning, he watered some plants. In the afternoon, he made some cookies.

① 동물 돌보기
② 거실 청소하기
③ 식물에 물주기
④ 쿠키 만들기

54 다음 글 바로 뒤에 이어질 내용으로 가장 알맞은 것은?

> Do you want to be healthy? Try exercising every day. Walk more. Here is some more useful information for living a healthy life.

① 건강한 삶을 위한 정보
② 건전지 교체 시기
③ 라디오 수리 방법
④ 학교의 위치

ENGLISH

PART 5

부록

PART 5

부록

01 기수, 서수, 배수

일반 숫자(기수) : 개수, 시간 등

숫자	영어
1	one
2	two
3	three
4	four
5	five
6	six
7	seven
8	eight
9	nine
10	ten
11	eleven
12	twelve
13	thirteen
14	fourteen
15	fifteen
16	sixteen
17	seventeen
18	eighteen
19	nineteen
20	twenty
21	twenty one
30	thirty
40	forty
50	fifty
60	sixty
70	seventy
80	eighty
90	ninety
100	hundred
1000	thousand

순서 숫자(서수) : 번째, 등수, 날짜 등

순서	영어
1번째	first
2번째	second
3번째	third
4번째	fourth
5번째	fifth
6번째	sixth
7번째	seventh
8번째	eighth
9번째	ninth
10번째	tenth
11번째	eleventh
12번째	twelfth
13번째	thirteenth
14번째	fourteenth
15번째	fifteenth
16번째	sixteenth
17번째	seventeenth
18번째	eighteenth
19번째	nineteenth
20번째	twentieth
21번째	twenty first
30번째	thirtieth
40번째	fortieth
50번째	fiftieth
60번째	sixtieth
70번째	seventieth
80번째	eightieth
90번째	ninetieth
100번째	hundredth
1000번째	thousandth

* 서수는 날짜(며칠)를 표시할 때도 쓰인다.

배수 : 몇 배, 몇 번

숫자	영어
1번	once
2번	twice
3번	three times
4번	four times
5번	five times
6번	six times
7번	seven times
8번	eight times
9번	nine times
10번	ten times

* 3번부터는 단어 뒤에 times를 붙여서 표현한다.

02 날짜 관련 단어들

1. 요일(day)

요일	영어
일요일	Sunday
월요일	Monday
화요일	Tuesday
수요일	Wednesday
목요일	Thursday
금요일	Friday
토요일	Saturday

2. 월(month)

월	영어
1월	January
2월	February
3월	March
4월	April
5월	May
6월	June
7월	July
8월	August
9월	September
10월	October
11월	November
12월	December

3. 계절(season)

계절	영어
봄	spring
여름	summer
가을	fall / autumn
겨울	winter

4. 기타 표현

minute : 분

hour : 시간

day : 하루, 날

week : 주, 1주일

weekend : 주말

month : 달, 월

year : 년, 해

last : 지난

this : 이번

next : 다음

yesterday : 어제

today : 오늘

tomorrow : 내일

now : 지금

03 숙어 정리

1. **a lot of ~ : 많은**
There are **a lot of** parks in Seoul.
(서울에 많은 공원이 있다.)

2. **talk with ~ : ~와 이야기하다, ~와 의논하다**
We **talked with** him for a long time.
(우리는 오랫동안 그와 얘기했다.)

3. **get up : 일어나다**
I **get up** at seven every morning.
(나는 매일 아침 7시에 일어난다.)

4. **be interested in ~ : ~에 흥미가 있다**
I **am interested in** music.
(나는 음악에 흥미가 있다.)

5. **arrive at(in) ~ : ~에 도착하다**
I **arrived at** the station just in time.
(나는 막 정시에 역에 도착했다.)

6. **at last : 마침내, 드디어**
At last we found it.
(마침내 우리는 그것을 찾았다.)

7. **take care of ~ : ~을 돌보다**
(= look after)
We must **take care of** our children.
(우리는 우리의 아이를 돌봐야 한다.)

8. **get to ~ : ~에 도착하다**
How can I **get to** the subway station?
(지하철역에 어떻게 가나요?)

9. **for a long time : 오랫동안**
I've wanted to see you **for a long time**.
(나는 오랫동안 널 보길 원했다.)

10. **on one's way : 도중에**
I met Jane **on my way** to school.
(나는 학교로 가는 중에 제인을 만났다.)

11. **at once : 곧, 즉시**
He came back **at once**.
(그는 즉시 돌아갔다.)

12. **after school : 방과 후에**
Let's go skating **after school**.
(방과 후에 스케이트 타러 가자.)

13. **take a picture : 사진을 찍다**
We **took a picture** in the park.
(우리는 공원에서 사진을 찍었다.)

14. **be good at ~ : ~에 능숙하다**
He **is good at** swimming.
(그는 수영을 잘한다.)

15. **be full of : ~으로 가득 차다**
(= be filled with)
Every room **is full of** many books.
(모든 방은 많은 책들로 가득차 있다.)

16. **look like ~ : ~처럼 보이다, ~인 것 같다**
What does it **look like**?
(그것은 어떻게 생겼니?)

17. with a smile : **미소를 지으며**

She looked at me **with a smile**.

(그녀는 미소를 지으며 나를 쳐다 봤다.)

18. grow up : **자라다, 성장하다**

She **grew up** in Seoul.

(그녀는 서울에서 자랐다.)

19. be over : **끝나다**

Winter **is over** and spring has come.

(겨울이 끝나고 봄이 왔다.)

20. look forward to ~ : **~을 고대하다, 손꼽아 기다리다**

We are **looking forward to** the holidays.

(우리는 휴일을 기대하고 있다.)

21. fall down : **넘어지다, 떨어지다**

He **fell down** and got hurt.

(오늘 떨어져서 다쳤다.)

22. far from ~ : **~으로부터 먼, ~으로부터 멀리**

Our house is not **far from** the school.

(우리 집은 학교에서 멀지 않다.)

23. be surprised at ~ : **~에 놀라다**

We **were surprised at** the news.

(우리는 그 소식에 놀랐다.)

24. be afraid of ~ : **~을 두려워하다**

I **am afraid of** snakes.

(나는 뱀을 무서워한다.)

25. do one's best : **최선을 다하다**

Everyone should **do his best**.

(모두는 최선을 다해야 한다.)

26. for example : **예를 들면** (= for instance)

For example, people like to talk about the leisure time.

(예를 들어, 사람들은 여가 시간에 대해 말하는걸 좋아한다.)

27. wake up : **깨다, 깨우다**

I **wake up** at six every morning.

(나는 매일 6시에 일어난다.)

28. give up : **그만두다, 포기하다**

Father **gave up** smoking.

(아버지는 흡연을 그만두셨다.)

29. after a while : **잠시 후에**

After a while, it began to rain.

(잠시 후에 비가 오기 시작했다.)

30. go across : **가로질러 가다**

We **went across** the river.

(우리는 강을 가로질러 갔다.)

31. be different from : **~와 다르다**

Our customs **are different from** yours.

(우리의 고객은 당신의 고객과 다르다.)

32. at noon : **정오에**

We have lunch **at noon**.

(우리는 정오에 점심을 먹는다.)

33. in a hurry : **급히**

He went out **in a hurry**.

(그는 급히 나갔다.)

34. long ago : **옛날에, 오래 전에**

I visited London **long ago**.

(나는 오래 전에 런던을 방문했다.)

35. try on ~ : **~을 입어보다**

May I **try** it **on**?

(제가 그것을 입어봐도 될까요?)

36. laugh at ~ : **~을 (보고, 듣고) 웃다, ~을 비웃다**

They **laughed at** a funny story.

(그들은 재밌는 이야기에 웃었다.)

37. agree with ~ : **~에 동의하다**

I **agree with** you.

(나는 너말에 동의해.)

38. come true : **실현되다**

His dream **came true**.

(그의 꿈은 실현되었다.)

39. lose one's way : **길을 잃다**

He **lost his way** in the woods.

(그는 숲에서 길을 잃어버렸다.)

40. be famous for ~ : **~으로 유명하다**

London **is famous for** its fog.

(런던은 안개로 유명하다.)

41. no longer : **더 이상 ~하지 않다**

You are **no longer** a child.

(너는 더 이상 아이가 아니다.)

42. on foot : **걸어서, 도보로**

We go to school **on foot**.

(우리는 걸어서 학교에 간다.)

43. take a trip (to ~) : **(~으로) 여행하다**

I **took a trip** to Europe.

(나는 유럽으로 여행을 갔다.)

44. hurry up : **서두르다**

You should **hurry up**.

(너는 서둘러야 한다.)

45. go away : **떠나다, 가버리다**

He **went away** saying "goodbye".

(그는 "안녕"이라 말하고 떠났다.)

46. break down : **고장나다**

My car **broke down** on the way.

(내 차는 가는 도중에 고장났다.)

47. forever : **영원히, 언제까지나**

People will remember his name **forever**.

(사람들은 그의 이름을 영원히 기억할 것이다.)

48. take a seat : **자리에 앉다**

Please **take a seat**.

(자리에 앉아주세요.)

49. **these days : 요즘(에)**
(↔ those days : 그당시에)
It's very cold **these days.**
(요즘에 매우 춥다.)

50. **make a mistake : 잘못을 저지르다, 실수하다**
He **made a mistake** in the examination.
(그는 시험에서 실수를 했다.)

51. **for a while : 잠시 동안**
We waited for him **for a while.**
(우리는 잠시동안 그를 기다렸다.)

52. **be fond of ~ : ~을 좋아하다 (= like ~)**
I **am fond of** music.
(나는 음악을 좋아한다.)

53. **make up one's mind (to ~) : 결심하다**
(= decide)
I **made up my mind** to study English.
(나는 영어를 공부하기로 결심했다.)

54. **take a bath : 목욕하다**
(≒ take a shower : 샤워하다)
He **takes a bath** every day.
(그는 매일 샤워를 한다.)

55. **take a rest : 휴식하다**
We **took a rest** for an hour.
(우리는 한시간 동안 휴식을 취했다.)

56. **get on ~ : (기차, 버스 등)에 타다**
(↔ get off ~ : ~에서 내리다)
Get on the car! (차에 타세요!)

57. **put on ~ : ~을 입다**
(↔ take off ~ : ~을 벗다)
She **put on** her coat.
(그녀는 코트를 입는다.)

58. **turn on ~ : (TV, 라디오 등을) 켜다**
(↔ turn off ~ : ~을 끄다, ~을 잠그다)
Turn on the TV, please. (TV를 켜주세요.)

59. **be absent from ~ : ~에 결석하다**
She **was absent from** school yesterday.
(그녀는 어제 학교에 결석했다.)

60. **go for a walk : 산책 나가다**
(= take a walk)
Father **goes for a walk** at six every morning.
(아버지는 매일 아침 6시에 산책가신다.)

61. **be born : 태어나다**
I **was born** in 1999.
(나는 1999년에 태어났다.)

62. **be satisfied with ~ : ~에 만족하다**
She's never **satisfied with** what she got.
(그녀는 그녀가 얻었던 것에 결코 만족하지 않는다.)

63. **concentrate on ~ : ~에 집중하다**
(= focus on)
We need to **concentrate on** our business.
(우리는 우리의 사업에 집중할 필요가 있다.)

64. **communicate with ~ : ~와 연락하다**
We have to **communicate with** each other.
(우리는 서로 연락해야 한다.)

ENGLISH

정답 및 해설

Review Test 정답

Lesson 1. 명사

01. (1) 단수
    (2) 단수
    (3) 단수
    (4) 복수
    (5) 복수
    (6) 복수
    (7) 셀 수 없음
    (8) 셀 수 없음

02. (1) a student
    (2) students
    (3) a table
    (4) tables

03. (1) doctors → doctor
    (2) books → book
    (3) friend → friends
    (4) a three → three

04. ③ 05. ③ 06. ①

Lesson 2. 대명사

01. (1) She
    (2) I
    (3) his
    (4) your
    (5) Our

02. (1) I love you.
    (2) Her dog likes his book.
    (3) Kate knows them.
    (4) This is a clock.

03. ③ 04. ③

05. (1) his
    (2) her
    (3) mine
    (4) her
    (5) our
    (6) You

06. ④ 07. ② 08. ① 09. ①

Lesson 3. be동사

01. (1) 부정문 : He is not my brother.
    의문문 : Is he my brother?
    (2) 부정문 : This is not a cat.
    의문문 : Is this a cat?
    (3) 부정문 : You are not a student.
    의문문 : Are you a student?

02. ① 03. ② 04. ③

05. (1) is
    (2) are
    (3) is
    (4) Are

06. ② 07. ③ 08. ④

Lesson 4. 형용사, 부사

01. (1) Many
    (2) few
    (3) much

02. (1) many
    (2) little
    (3) much

03. ④ 04. ③ 05. ④

Lesson 5. 비교

01. (1) largest
    (2) most important
    (3) best

02. (1) faster
    (2) shorter
    (3) more expensive

03. ③ 04. ③ 05. ②

Lesson 6. 일반동사

01. (1) 부정문 : I don’t like music.
    의문문 : Do I like music?
    (2) 부정문 : She doesn’t live in Seoul.
    의문문 : Does she live in Seoul?

02. (1) do
    (2) don’t
    (3) does
    (4) doesn’t

03. ① 04. ③

05. (1) Do
    (2) don’t
    (3) like
    (4) Do
    (5) doesn’t

06. ③ 07. ② 08. ④ 09. ②

Lesson 7. 조동사

01. ② 02. ① 03. ② 04. ①
05. ④ 06. ③ 07. ② 08. ③
09. ③

Lesson 8. 문장

01. ③ 02. ① 03. ③ 04. ④
05. ③ 06. ④

Lesson 9. 의문사

01. (1) When
    (2) What
    (3) Who
    (4) Where
    (5) How
    (6) Why

02. (1) often
    (2) tall
    (3) long
    (4) many
    (5) much

03. ④ 04. ③ 05. ① 06. ③
07. ②

Lesson 10. 시제

01. (1) wathced
(2) swimming
(3) will go
(4) has studied

02. (1) ③
(2) ④
(3) ③
(4) ④
(5) ④

03. (1) tomorrow
(2) next
(3) last
(4) now
(5) tomorrow

04. (1) 그는 런던에 가버렸다.
(2) 나는 영국에 여러 번 가본 적 있다.

Lesson 11. 태

01. (1) was carried
(2) is made

02. (1) in
(2) with
(3) at
(4) by
(5) with

03. ④ 04. ③

Lesson 12. to부정사

01. (1) 나는 무언가 곧 찾기를 소망한다.
(2) 그녀는 나에게 먹을 것을 주었다.
(3) 나의 꿈은 비행기조종사가 되는 것이다.
(4) 그는 앉을 의자가 없다.
(5) 야구를 하는 것은 재미있다.

02. ④ 03. ③

Lesson 13. 동명사

01. ② 02. ② 03. ③ 04. ③
05. ②

Lesson 14. 관계사

01. ① 02. ④ 03. ① 04. ①
05. (1) where
(2) when
(3) why
(4) when

Lesson 15. 접속사

01. (1) and
(2) Unless
(3) and
(4) and

02. (1) ②
(2) ④
(3) ②
(4) ①
(5) ④
(6) ③
(7) ③

Lesson 16. 전치사

01. from, to

02. ① 03. ② 04. ①

05. (1) after
(2) in
(3) at
(4) in

Lesson 17. 가정법

01. ② 02. ③ 03. ③ 04. ②

Part 4. 연습문제 정답

01. ②	02. ④	03. ③	04. ③	05. ④
06. ②	07. ②	08. ②	09. ④	10. ①
11. ④	12. ③	13. ④	14. ②	15. ③
16. ②	17. ①	18. ④	19. ③	20. ①
21. ③	22. ②	23. ④	24. ①	25. ①
26. ④	27. ①	28. ③	29. ②	30. ③
31. ①	32. ①	33. ①	34. ④	35. ①
36. ③	37. ①	38. ③	39. ②	40. ③
41. ①	42. ④	43. ②	44. ②	45. ②
46. ③	47. ③	48. ③	49. ②	50. ②
51. ①	52. ④	53. ③	54. ①	

01. Long time no see. : 오랜만이야.

02. 안부를 묻는 인사에 대한 대답으로 "Sorry, I'm busy.(죄송하지만 저는 지금 바쁩니다.)"는 적절하지 않다.

03. 안부를 묻는 표현이 아닌 것은 ③ What do you think? (어떻게 생각하시나요?) 이다.

04. You should get some rest. : 너는 좀 쉬어야 해.

05. 그가 감기에 걸렸다고 했으므로 '유감' 의 표현이 들어가는 것이 적절하다.
④ That' s too bad.: 참 안됐군요.

06. 두통이 있다고 했으므로 '유감' 의 표현이 들어가야 하나 ② That's okay.(괜찮습니다.)는 흐름에 어울리지 않는다.

07. 자동차 사고가 났으므로 '유감' 의 표현이 들어가야 한다.
② Sorry, but I should go. : 미안해, 하지만 나는 가야해.

08. '유감' 의 뜻을 가진 문장을 찾는 문제이다.
② I'm sorry to hear that. : 그 말을 듣게 되어 유감입니다.

09. 초대에 대해 감사하는 표현이 아닌 것을 찾

아야 한다.
④ You are right. : 네가 옳아.

10. A : 나는 체스에서 또 이겼어.
B : 대단하구나!

11. A : 어제 수학시험을 봤어. 나는 좋은 성적을 거뒀어.
④ That' s wonderful! : 그거 멋지구나!

12. 말하기 대회에 대해 걱정하고 있으므로 '격려' 의 표현이 아닌 것을 고르면 된다.
③ Here it is : 여기 있습니다.

13. 수학시험에서 나쁜 성적을 받았다고 했으므로 '격려' 의 표현을 찾으면 된다.
④ Don' t worry. : 걱정하지마.

14. Don't worry. I'm sure you'll do better next time. : 걱정하지마. 나는 네가 다음엔 더 잘 할 것이라고 확신해.

15. 대답에 시간이 나왔으므로 질문에는 when 또는 what time이 들어가야 한다.

16. 시간을 물어볼 때는 when 또는 what time을 사용한다.

17. A : 당신의 취미가 무엇입니끼?
① I like my hobby. : 나는 내 취미를 좋아합니다.

18. A : 날씨가 어떻습니까?
B : ④ 비가 옵니다.

19. 그림에서 눈이 내리므로 답은 ③이다.
③ It' s snowy. : 눈이 온다.

20. 몇 시에 일어나는지 물었으므로 대답에는 시간이 나와야 한다.

21. Jane : 켈리, 마이크가 전화했었어.
Kelly : 그가? 내가 그에게 바로 다시 전화할게.
Jane : 알겠어.

22. on Tuesday. : 화요일에

23. 마음껏 먹으라는 말에 충분히 먹었다고 했으므로 거절의 표현이 필요하다.

24. 가는 방법을 묻는 how로 질문하였으므로 대답은 by+교통수단(~을 타고)이 나와야 한다.

25. A : 어떻게 병원에 갈 수 있나요?
B : 직진하시고 모퉁이에서 좌회전하세요. 오른쪽에 있을 겁니다. 꼭 찾으실 겁니다.

26. A : 실례합니다. 대한 빌딩이 어디에 있나요?
B : 직진하시고 모퉁이에서 우회전하세요. 오른쪽에 있을 겁니다. 꼭 찾으실 겁니다.

27. 2,000원에서 연필가격을 뺀 500원은 change(거스름돈)이다.

28. 빈칸 아래 대답에 black(검은색)이라는 색상이 나왔으므로 질문에는 ③ color(색)이 들어가야 한다.

29. 대답에서 금액을 말하고 있으므로 질문은

② How much is it? (얼마예요?)가 들어가야 한다.

30. 대답에서 "the fitting room is over there. (탈의실은 저쪽에 있습니다.)"라고 했으므로 질문은 ③ May I try it on?(입어봐도 될까요?)가 적절하다.

31. 문장 속 'shoes(신발)'를 통해 유추 가능하다.

32. 문장 속 'post office(우체국), mail(부치다)'을 통해 유추 가능하다.

33. 문장 속 'seat belt(안전벨트)'를 통해 유추 가능하다.

34. 문장 속 'order(주문하다), sandwich(샌드위치), salad(샐러드)'를 통해 유추 가능하다.

35. Can you come to my birthday party?
: 내 생일파티에 올 수 있니?

36. Can you do me a favor? : 부탁 좀 들어줄래?

37. A : ① 나 좀 도와줄래?
B : 뭔데?
A : 나 설거지 하는 것을 도와줄래?
B : 미안, 난 안돼.

38. 도와달라는 요청에 수영을 가야한다고 했으므로 거절의 표현이 들어가야 한다.

39. 사과의 표현에는 사과를 받는 표현인 ② That's all right.(괜찮아.)가 적절하다.

40. A : 나는 네가 토요일에 파티에 간다는 말을 들었어. 사실이니?
B : ③ 응, 맞아.

41. A : 체육관에 가는 게 어떨까?
B : ① 좋은 생각이야. 우리 몇 시에 만날래?

42. "Why not?"은 왜 안 되는지에 대한 표현으로도 쓰이지만 '승낙'의 의미로도 사용된다.

43. 너 더워 보여. 괜찮니?
(A) 응 괜찮아. 그런데 내가 문을 열면 안 될까?
(C) 당연히 되지. 문 열어.
(B) 정말 고마워.

44. 주문하시겠어요?
(B) 네. 스테이크를 주문할게요.
(A) 어떻게 구워드릴까요?
(C) 바싹 익혀주세요.

45. 'order(주문하다), hamburger(햄버거), coke(콜라)'를 통해 음식점임을 유추할 수 있다.

46. 전화통화 중에선 누구인지 물을 때 "③ Who's this, please?(누구세요?)"를 사용한다.

47. 나는 의사가 되고 싶다. 내가 10살이었을 때, 나는 전 세계에서 고통 받는 사람들을 보았다. 나는 그런 사람들을 돕고 싶다. 의사가 되는 것은 쉽지 않다. 하지만 나는 최선을 다할 것이다.

48. 우리는 돼지에 대해 잘못된 생각을 가지고 있다. 많은 사람들이 돼지는 더럽다고 생각한다. 그러나 그것은 사실이 아니다. 그들은 그들의 몸을 진흙에서 씻는다. 그들은 진흙에서 굴러다니며 그들 몸에 붙어있는 벌레들을 제거한다.

49. 너는 국기에서 보라색을 본 적 있니? 1800년대까지 오직 부유한 사람들만 이 색을 살 수 있었어. 왜냐하면 1그램의 보라색 염료는 특별한 달팽이 만 마리에서 나오거든. 보라색 염료 1그램을 얻기는 매우 힘들어.

50. 너는 이것을 길가에서 볼 수 있다. 그것은 사람들이 길을 안전하게 건너도록 도와준다. 그것은 다른 색 불빛들을 가지고 있다. 초록불이면 사람들은 건너갈 수 있다. 빨간불이면 사람들은 건널목에서 멈춰야 한다.

51. 모든 사람들은 화를 낸다. 가끔 진정하는 것이 매우 어렵다. 여기 당신이 화났을 때 진정하는 몇 가지 방법이 있다.

52. 우리 가족과 나는 지난 여름에 일본에 갔다. 우리는 거기에 5일 동안 머물렀다. 우리는 유니버셜 스튜디오에 갔고 그 곳의 다양한 놀이기구를 즐겼다. 우리는 재밌는 시간을 보냈다! 나는 언젠가 거기에 또 가고 싶다.

53. 지난 월요일, 민호는 그의 할머니를 돕기 위해 방문했다. 아침에, 그는 식물들에 물을 주었다. 오후에 그는 쿠키를 만들었다.

54. 건강해지고 싶습니까? 매일 운동하세요. 더 걸으세요. 여기에 건강한 삶을 살기위한 유용한 정보가 있습니다.

영어

인쇄일	2022년 9월 13일
발행일	2022년 9월 20일
펴낸이	(주)매경아이씨
펴낸곳	도서출판 **국자감**
지은이	편집부
주소	서울시 영등포구 문래2가 32번지
전화	1544-4696
등록번호	2008.03.25 제 300-2008-28호
ISBN	979-11-5518-110-2 13370

| 한양 시그니처 관리형 시스템 |

#정서케어 #학습케어 #생활케어

관리형 입시학원의 탄생

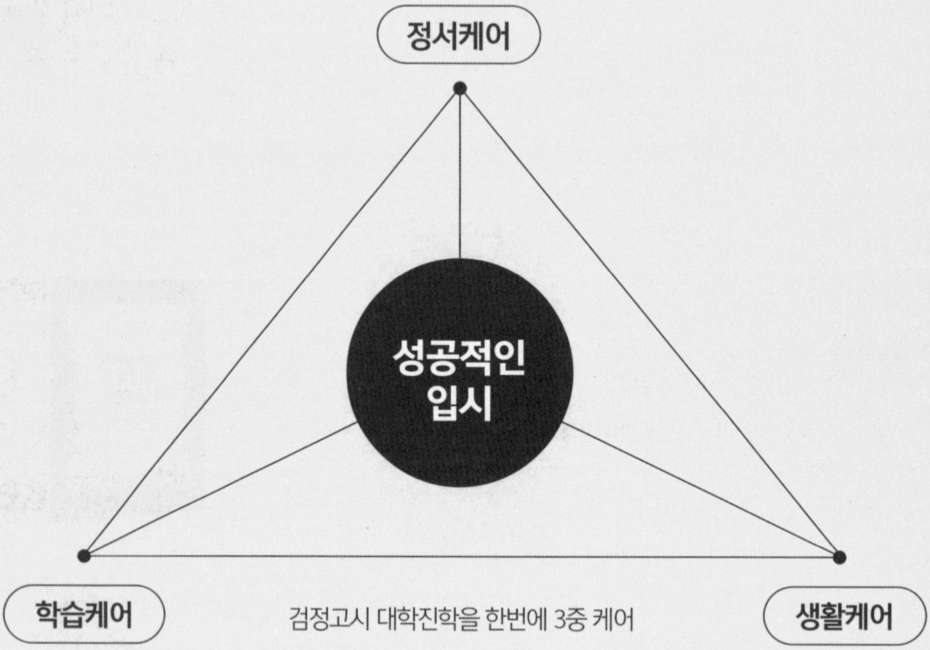

검정고시 대학진학을 한번에 3중 케어

정서케어

- 3대1 멘토링
  (입시담임, 학습담임, 상담교사)
- MBTI (성격유형검사)
- 심리안정 프로그램
  (아이스브레이크, 마인드 코칭)
- 대학탐방을 통한 동기부여

학습케어

- 1:1 입시상담
- 수준별 수업제공
- 전략과목 및 취약과목 분석
- 성적 분석 리포트 제공
- 학습플래너 관리
- 정기 모의고사 진행
- 기출문제 & 해설강의

생활케어

- 출결점검 및 조퇴, 결석 체크
- 자습공간 제공
- 쉬는 시간 및 자습실
  분위기 관리
- 학원 생활 관련 불편사항
  해소 및 학습 관련 고민 상담

HANYANG
ACADEMY

한양 프로그램 한눈에 보기

· 검정고시반 중·고졸 검정고시 수업으로 한번에 합격!

기초개념	기본이론	핵심정리	핵심요약	파이널
개념 익히기	과목별 기본서로 기본 다지기	핵심 총정리로 출제 유형 분석 경향 파악	요약정리 중요내용 체크	실전 모의고사 예상문제 기출문제 완성

· 고득점관리반 검정고시 합격은 기본 고득점은 필수!

기초개념	기본이론	심화이론	핵심정리	핵심요약	파이널
전범위 개념익히기	과목별 기본서로 기본 다지기	만점 전략서로 만점대비	핵심 총정리로 출제 유형 분석 경향 파악	요약정리 중요내용 체크 오류범위 보완	실전 모의고사 예상문제 기출문제 완성

· 대학진학반 고졸과 대학입시를 한번에!

기초학습	기본학습	심화학습/검정고시 대비	핵심요약	문제풀이, 총정리
기초학습과정 습득 학생별 인강 부교재 설정	진단평가 및 개별학습 피드백 수업방향 및 난이도 조절 상담	모의평가 결과 진단 및 상담 4월 검정고시 대비 집중수업	자기주도 과정 및 부교재 재설정 4월 검정고시 성적에 따른 재시험 및 수시컨설팅 준비	전형별 입시진행 연계교재 완성도 평가

· 수능집중반 정시준비도 전략적으로 준비한다!

기초학습	기본학습	심화학습	핵심요약	문제풀이, 총정리
기초학습과정 습득 학생별 인강 부교재 설정	진단평가 및 개별학습 피드백 수업방향 및 난이도 조절 상담	모의고사 결과진단 및 상담 / EBS 연계 교재 설정 / 학생별 학습성취 사항 평가	자기주도 과정 및 부교재 재설정 학생별 개별지도 방향 점검	전형별 입시진행 연계교재 완성도 평가

MK감자유학